D1269756

# Envie de...

# sushi

Bath • New York • Singapore • Hong Kong • Cologne • Delhi • Melbourne

Queen Street House
4 Queen Street
Bath, BA1 1HE
Royaume-Uni

Conception et réalisation : Terry Jeavons & Company


Réalisation : InTexte, Toulouse



ISBN : 978-1-4075-1058-3

Imprimé en Chine

Une cuillerée à soupe correspond à 15 à 20 g d'ingrédients secs et à 15 ml d'ingrédients liquides. Une cuillerée à café correspond à 3 à 5 g d'ingrédients secs et à 5 ml d'ingrédients liquides. Sans autre précision, le lait est entier, les œufs sont de taille moyenne et le poivre est du poivre noir fraîchement moulu. Les temps de préparation et de cuisson des recettes pouvant varier en fonction, notamment, du four utilisé, ils sont donnés à titre indicatif.

La consommation des œufs crus ou peu cuits est déconseillée aux enfants, aux personnes âgées, malades ou convalescentes, et aux femmes enceintes.

# Envie de...
# sushi

# introduction

Pour faire un bon sushi, il faut davantage que du poisson cru et du riz. Même si ce mot se traduit par « riz au vinaigre », cet avatar de la cuisine japonaise est extrêmement varié et éclectique. Vous pouvez utiliser du poisson cuit, de la viande, des œufs, du fromage et toutes sortes de légumes. Du moment que vos ingrédients se marient avec le riz, vous pouvez confectionner de merveilleux sushis.

Les spécialistes s'entraînent pendant des années, mais ne vous laissez pas impressionner. Il est plus facile qu'on ne le croit de préparer les sushis les plus simples. Certaines des techniques de base requièrent un peu de pratique, mais vous prendrez très vite le tour de main. Il n'est pas utile de disposer de nombreux équipements, toutefois vous aurez sans doute envie d'avoir quelques ustensiles : un moule à sushi, une spatule à riz, et un bol en bambou pour y faire les mélanges adéquats. L'essentiel est de

disposer d'une natte en bambou pour rouler les aliments.

Vous serez confronté à de nouvelles manières de préparer et de servir les sushis, mais aussi à certains ingrédients inconnus. Il importe que tous les aliments soient frais, que les parfums soient purs et que le résultat soit joliment présenté. La nourriture japonaise est un plaisir des yeux et du palais.

Par ailleurs, les sushis sont très sains. Ils présentent peu de calories tout en débordant de substances nutritives. Les algues, par exemple, sont riches en vitamines et en minéraux. L'huile de poisson, notamment l'huile de maquereau, constitue une excellente source de précieux acides gras. Le wasabi (raifort japonais) et le vinaigre de riz favorisent la digestion.

Les sushis sont toujours préparés avec du poisson cru très frais. Approvisionnez-vous chez un poissonnier de confiance : il vous vendra un produit « de qualité sashimi », susceptible d'être consommé cru. Emportez directement votre poisson chez vous, préparez-le et dégustez-le le jour même.

# sushis roulés

Les sushis roulés (maki zushi) ont l'air très sophistiqué, mais ils figurent parmi les préparations les plus faciles à réaliser. Le seul équipement spécifique dont vous ayez besoin est une natte en bambou. Elle ne coûtent presque rien et on la trouve dans tous les bons magasins de cuisine, voire dans certains supermarchés.

Les sushis roulés sont préparés avec des feuilles de nori (algue) sur lesquelles on étale du riz et autres aliments. Après les avoir roulés, ils sont coupés en morceaux. Il faut les consommer dans l'heure ou dans les deux heures qui suivent leur préparation.

Les rouleaux de sushis peuvent être fins avec une ou deux garnitures, ou bien très épais avec cinq ou six garnitures. Les rouleaux minces sont plus faciles à confectionner, et il vaut donc mieux commencer à s'exercer sur ceux-là. Il faut surtout répartir la garniture de manière égale, et ne pas trop charger les feuilles d'enrobage, afin qu'elles n'éclatent pas. Si la garniture tombe aux extrémités de la feuille quand vous la roulez, repoussez les ingrédients à l'intérieur ou égalisez les extrémités quand vous coupez la préparation.

Servez-vous toujours d'un couteau humide et essuyez-le sur un tissu mouillé après chaque utilisation. Gardez près de vous un bol d'eau tiède additionné d'un peu de vinaigre, pour y tremper vos mains avant de manipuler le riz gluant.

# riz pour sushis

## ingrédients

**POUR 22 SUSHIS**

300 g de riz pour sushis
350 ml d'eau
1 morceau de kombu de 5 cm (facultatif)
2 cuil. à soupe d'assaisonnement pour riz (ou le mélange de 2 cuil. à soupe de vinaigre de riz, 1 cuil. à soupe de sucre et ¼ de cuil. à café de sel)

## méthode

**1** Mettre le riz dans une passoire et rincer à l'eau courante froide jusqu'à ce qu'il rende une eau claire. Égoutter, transférer dans une casserole et ajouter l'eau.

**2** Pratiquer quelques incisions dans le morceau de kombu de sorte que les saveurs puissent se développer, ajouter dans la casserole et couvrir. Porter à ébullition, retirer le kombu et remettre le couvercle immédiatement. Réduire le feu et laisser mijoter 10 minutes. Retirer la casserole du feu et laisser reposer 15 minutes. Ne jamais retirer le couvercle une fois le kombu retiré.

**3** Mettre le riz dans un grand plat peu profond non métallique et napper d'assaisonnement. D'une main, mélanger le riz à l'aide d'une spatule et, de l'autre, aérer le riz de sorte qu'il refroidisse rapidement en veillant à ne pas casser les grains.

**4** Le riz pour sushis doit avoir un aspect brillant et être à température ambiante avant utilisation. Couvrir d'un torchon humide et utiliser le jour même. Ne jamais mettre au réfrigérateur.

# maki au thon

## ingrédients

**POUR 24 SUSHIS**

2 feuilles de nori grillées
½ quantité de riz (*voir* page 8)
wasabi
55 g de thon pour sashimi, coupé en lanières de 5 mm d'épaisseur
sauce de soja japonaise et gingembre en saumure, en accompagnement

## méthode

**1** Replier une feuille de nori en deux dans la longueur, presser de façon à marquer le pli et couper en deux en suivant le pli. Étaler une demi-feuille sur une natte en bambou, côté lisse vers le bas, une des longueurs face à soi.

**2** Diviser le riz en quatre. Les mains mouillées, étaler une portion sur la demi-feuille en laissant 1 cm de marge sur la longueur opposée à soi.

**3** Déposer un peu de wasabi sur la longueur située face à soi et répartir en ligne un quart des lanières de thon sur le riz.

**4** Saisir la longueur de la natte située face à soi et procéder de façon à enrouler le riz autour de la farce, vers la longueur opposée à soi. Procéder délicatement avec une pression régulière. Sceller la marge non garnie sur le rouleau.

**5** Disposer côté scellé vers le bas et couper en 3 morceaux égaux à l'aide d'un couteau humide très tranchant. Couper de nouveau chaque morceau obtenu en deux. Essuyer le couteau entre chaque mouvement. Répéter l'opération avec les ingrédients restants et servir accompagné de sauce de soja, de gingembre en saumure et de wasabi.

# maki au saumon, à la roquette & au pesto

## ingrédients

**POUR 24 SUSHIS**

2 feuilles de nori grillées
½ quantité de riz (*voir* page 8)
pesto
55 g de thon pour sashimi, coupé en lanières de 1 cm d'épaisseur
40 g de roquette, tiges retirées
sauce de soja japonaise et gingembre en saumure, en accompagnement

## méthode

**1** Replier une feuille de nori en deux dans la longueur, presser de façon à marquer le pli et couper en deux en suivant le pli. Étaler une demi-feuille sur une natte en bambou, côté lisse vers le bas, une des longueurs face à soi.

**2** Diviser le riz en quatre. Les mains mouillées, étaler une portion sur la demi-feuille en laissant 1 cm de marge sur la longueur opposée à soi.

**3** Déposer un peu de pesto sur la longueur située face à soi, répartir en ligne un quart des lanières de thon sur le riz et couvrir de roquette.

**4** Saisir la longueur de la natte située face à soi et procéder de façon à enrouler le riz autour de la farce, vers la longueur opposée à soi. Procéder délicatement avec une pression régulière. Sceller la marge non garnie sur le rouleau.

**5** Disposer côté scellé vers le bas et couper en 3 morceaux égaux à l'aide d'un couteau humide très tranchant. Couper de nouveau chaque morceau obtenu en deux. Essuyer le couteau entre chaque mouvement. Répéter l'opération avec les ingrédients restants et servir accompagné de sauce de soja, de gingembre en saumure et de wasabi.

# maki au thon & au sésame

## ingrédients

**POUR 12 SUSHIS**

1 morceau de thon de 8 x 6 cm pris au centre du filet
2 cuil. à café d'huile de sésame
2 cuil. à soupe de graines de sésame grillées
3 petites feuilles de nori grillées, coupées en quatre dans la longueur
2 cuil. à soupe d'huile

## méthode

**1** Couper le thon en 12 cubes, enrober d'huile de sésame et passer dans les graines de sésame.

**2** Envelopper chaque cube d'une feuille de nori et couper la feuille de sorte que les bords puissent se chevaucher. Sceller en humectant légèrement les bords de la feuille.

**3** Dans une poêle, chauffer l'huile, ajouter les rouleaux de thon et cuire 2 minutes de chaque côté. Les graines de sésame doivent brunir sans brûler et le thon doit être presque cru au centre.

# maki de saumon aux épinards & au wasabi

## ingrédients

**POUR 24 SUSHIS**

2 grosses pommes de terre, pelées et coupées en quartiers
1 oignon vert, finement haché
wasabi
115 g de saumon pour sashimi ou d'un filet de saumon
1 cuil. à soupe d'huile
sel
6 petites feuilles de nori grillées
1 poignée de feuilles d'épinards, sans les tiges

## méthode

**1** Cuire les pommes de terre à l'eau bouillante salée 20 à 30 minutes, jusqu'à ce qu'elles soient tendres. Réduire en purée et incorporer l'oignon vert et assez de wasabi pour obtenir une consistance épaisse. Saler et laisser refroidir 30 minutes, jusqu'à ce que la purée soit ferme.

**2** En cas d'utilisation de filet de saumon, retirer la peau et les arêtes. Dans une poêle, chauffer l'huile, ajouter le saumon et cuire 8 minutes de chaque côté à feu moyen. Couper le saumon cuit ou le saumon pour sashimi en lanières.

**3** Diviser la purée en six. Étaler une feuille de nori sur une natte en bambou, côté lisse vers le bas, une des longueurs face à soi. Déposer une portion de purée sur le tiers inférieur de la feuille, ajouter un sixième des épinards sur la purée et garnir de saumon.

**4** Saisir la longueur de la natte située face à soi et procéder de façon à enrouler la purée autour de la farce, vers la longueur opposée. Procéder délicatement avec une pression régulière. Sceller la marge non garnie sur le rouleau.

**5** Disposer côté scellé vers le bas et couper en 4 morceaux égaux à l'aide d'un couteau humide très tranchant. Essuyer le couteau entre chaque mouvement. Répéter l'opération avec les ingrédients restants et servir.

# maki de nouilles soba

## ingrédients

**POUR 24 SUSHIS**

115 g de thon pour sashimi ou de filet de thon
1 cuil. à soupe d'huile
100 g de nouilles soba, cassées en morceaux
1 oignon vert, partie verte uniquement, coupé en bâtonnets
1 cuil. à soupe de sauce de soja claire
½ cuil. à soupe de vin de riz
wasabi
1 cuil. à soupe de gingembre en saumure, finement haché
6 petites feuilles de nori grillées
½ concombre, pelé et finement ciselé
sauce de soja japonaise et gingembre en saumure, en accompagnement

## méthode

**1** En cas d'utilisation de filet de thon, chauffer l'huile dans une poêle, ajouter le thon et cuire 6 minutes de chaque côté. Couper le thon cuit ou le thon pour sashimi en lanières.

**2** Cuire les nouilles à l'eau bouillante, rincer à l'eau courante et égoutter. Mélanger les nouilles, l'oignon vert, la sauce de soja, le vin de riz, une pointe de wasabi et le gingembre.

**3** Diviser les nouilles en six. Étaler une feuille de nori sur une natte en bambou, côté lisse vers le bas, une des longueurs face à soi. Déposer une portion de mélange à base de nouilles sur le tiers inférieur de la feuille, ajouter un sixième du concombre et garnir de thon.

**4** Saisir la longueur de la natte située face à soi et procéder de façon à enrouler les nouilles autour de la farce, vers la longueur opposée à soi. Procéder délicatement avec une pression régulière. Sceller la marge non garnie sur le rouleau. Si une partie de la garniture tombe, la remettre à l'intérieur. Les bords du sushi peuvent paraître irréguliers mais c'est sans importance.

**5** Disposer le côté scellé vers le bas et couper en 4 morceaux égaux à l'aide d'un couteau humide très tranchant. Essuyer le couteau entre chaque mouvement. Répéter l'opération avec les ingrédients restants et servir accompagné de sauce de soja et de gingembre en saumure.

# maki au saumon & aux sept épices

## ingrédients

**POUR 24 SUSHIS**

150 g de filet de saumon
sichimi togarashi
(poudre de sept-épices)
flocons de piment
1 cuil. à soupe d'huile
1 quantité de riz (*voir* page 8)
6 petites feuilles de nori grillées
2 cuil. à soupe
de mayonnaise japonaise
sauce de soja japonaise,
wasabi et gingembre
en saumure,
en accompagnement

## méthode

**1** Retirer la peau et les arêtes du saumon. Saupoudrer de flocons de piment et de poudre de sept-épices. Dans une poêle, chauffer l'huile, ajouter le saumon et cuire 8 minutes de chaque côté à feu moyen. Laisser refroidir et émietter.

**2** Diviser le riz en six. Étaler une feuille de nori sur une natte en bambou, côté lisse vers le bas, une des longueurs face à soi. Les mains mouillées, étaler une portion sur la feuille en laissant 2 cm de marge sur la longueur opposée à soi. Éviter de tasser le riz ou d'en mettre trop, la feuille de nori doit rester légèrement visible.

**3** Déposer un peu de mayonnaise sur la longueur située face à soi et répartir en ligne un sixième des miettes de saumon sur le riz.

**4** Saisir la longueur de la natte située face à soi et procéder délicatement et régulièrement de façon à enrouler le riz autour de la farce. Sceller la marge non garnie sur le rouleau.

**5** Disposer côté scellé vers le bas et couper en 4 morceaux égaux à l'aide d'un couteau humide très tranchant. Essuyer le couteau entre chaque mouvement. Répéter l'opération avec les ingrédients restants et servir accompagné de sauce de soja, de gingembre en saumure et de wasabi.

# maki aux asperges & à la mayonnaise

## ingrédients

**POUR 24 SUSHIS**

6 pointes d'asperges
150 g de filet de saumon ou la même quantité de saumon pour sashimi, coupé en tranches
1 cuil. à soupe d'huile
1 quantité de riz (*voir* page 8)
6 petites feuilles de nori grillées
wasabi
1 cuil. à soupe de mayonnaise japonaise
1 cuil. à café de graines de sésame grillées
sauce de soja japonaise, gingembre en saumure et wasabi, en accompagnement

## méthode

**1** Cuire les asperges à l'eau bouillante, couper en tronçons de 9 cm et laisser refroidir.

**2** En cas d'utilisation de filet de saumon, retirer la peau et les arêtes. Dans une poêle, chauffer l'huile, ajouter le saumon et cuire 8 minutes de chaque côté à feu moyen. Couper le saumon cuit ou le saumon pour sashimi en lanières. Diviser le riz en six. Étaler une feuille de nori sur une natte en bambou, côté lisse vers le bas, une des longueurs face à soi. Les mains mouillées, étaler une portion sur la feuille en laissant 2 cm de marge sur la longueur opposée à soi.

**3** Déposer un peu de wasabi sur la longueur située face à soi, ajouter de la mayonnaise et ajouter un morceau d'asperge. Disposer du saumon à côté et parsemer de sésame.

**4** Saisir la longueur de la natte située face à soi et procéder délicatement et régulièrement de façon à enrouler le riz autour de la farce. Sceller la marge non garnie sur le rouleau.

**5** Disposer le côté scellé vers le bas et couper en quatre à l'aide d'un couteau humide très tranchant. Essuyer le couteau entre chaque mouvement. Répéter l'opération avec les ingrédients restants et servir accompagné de sauce de soja, de gingembre et de wasabi.

# maki de crevettes vapeur & leur sauce au citron vert

## ingrédients

**POUR 24 SUSHIS**

400 g de crevettes, décortiquées et déveinées
2 cuil. à soupe de coriandre fraîche hachée
1 feuille de lime kaffir, ciselée
1 cuil. à soupe de jus de citron vert
2 cuil. à café de sauce au piment douce
1½ cuil. à soupe de sauce de poisson
2 cuil. à café de mirin
1 blanc d'œuf
4 feuilles de nori grillées
rondelles de citron vert, en garniture

### sauce au citron vert

4 cuil. à soupe de saké
4 cuil. à soupe de sauce de soja japonaise
2 cuil. à café de mirin
1 cuil. à soupe de jus de citron vert

## méthode

**1** Mettre les ingrédients de la sauce dans un bol et mélanger.

**2** Dans un robot de cuisine, mettre les crevettes, la coriandre, la feuille de lime kaffir, le jus de citron vert, la sauce au piment, la sauce de poisson et le mirin, mixer jusqu'à obtention d'une consistance homogène. Ajouter le blanc d'œuf et mixer de nouveau.

**3** Étaler une feuille de nori sur une natte en bambou, côté lisse vers le bas, une des largeurs face à soi. Les mains mouillées, étaler une portion sur la feuille en laissant 1 cm de marge sur la largeur opposée à soi.

**4** Saisir la largeur de la natte située face à soi et procéder de façon à enrouler le tout vers la largeur opposée à soi en créant un effet de spirale. Procéder délicatement avec une pression régulière. Sceller la marge non garnie sur le rouleau. Répéter l'opération avec les ingrédients restants et mettre au réfrigérateur 1 heure.

**5** Disposer côté scellé vers le bas et couper en trois à l'aide d'un couteau humide très tranchant. Cuire 5 minutes à la vapeur, jusqu'à ce que la farce soit cuite. Servir garni de rondelles de citron vert et accompagné de sauce au citron vert.

# rouleaux californiens

## ingrédients

**POUR 24 SUSHIS**

1 quantité de riz (*voir* page 8)
6 petites feuilles de nori grillées
wasabi
½ avocat mûr, coupé en bâtonnets
6 bâtonnets de crabe, coupés dans la longueur
1 morceau de concombre de 5 cm, coupé en bâtonnets
sauce de soja japonaise, gingembre en saumure et wasabi, en accompagnement

## méthode

**1** Diviser le riz en six. Étaler une feuille de nori sur une natte en bambou, côté lisse vers le bas, une des longueurs face à soi. Les mains mouillées, étaler une portion de riz sur la feuille en laissant 2 cm de marge sur la longueur opposée à soi. Éviter de tasser le riz ou d'en mettre trop, il faut que la feuille de nori reste légèrement visible.

**2** Déposer un peu de wasabi sur la longueur située face à soi et ajouter, en ligne, 2 bâtonnets d'avocat, 2 bâtonnets de crabe et des bâtonnets de concombre.

**3** Saisir la longueur de la natte située face à soi et procéder de façon à enrouler le riz autour de la farce, vers la longueur opposée à soi. Procéder délicatement avec une pression régulière. Sceller la marge non garnie sur le rouleau. Si une partie de la garniture tombe, la remettre à l'intérieur. Les bords du sushi peuvent paraître irréguliers mais cela est sans importance.

**4** Disposer côté scellé vers le bas et couper en quatre à l'aide d'un couteau humide très tranchant. Essuyer le couteau entre chaque mouvement. Si le couteau n'est pas assez tranchant, le sushi peut s'écraser. Répéter l'opération avec les ingrédients restants et servir accompagné de sauce de soja, de gingembre en saumure et de wasabi.

# rouleaux de crevettes

## ingrédients

**POUR 12 SUSHIS**

2 poivrons rouges
1 petit avocat, coupé en tranches
8 grosses crevettes, cuites et décortiquées
sel et poivre

## méthode

**1** Préchauffer le four à 200 °C (th. 6-7). Mettre les poivrons dans un plat allant au four et cuire 30 minutes, jusqu'à ce que la peau brunisse et commence à se décoller de la chair. Laisser tiédir et retirer la peau. Couper les poivrons en deux et parer.

**2** Étaler les demi-poivrons et placer plusieurs couches de tranches d'avocat à une extrémité. Ajouter deux crevettes sur chaque demi-poivron, saler et poivrer. Rouler les moitiés de poivrons en serrant bien, envelopper chaque rouleau de film alimentaire et laisser refroidir 30 minutes.

**3** Retirer délicatement le film alimentaire et couper chaque extrémité de sorte que les bords soient bien droits. Couper en trois morceaux à l'aide d'un couteau tranchant humide et disposer sur un plat de service.

# rouleaux californiens inversés

## ingrédients

**POUR 24 SUSHIS**

1 quantité de riz (*voir* page 8)
6 petites feuilles de nori grillées
¼ d'avocat mûr, coupé en bâtonnets
1 morceau de concombre de 5 cm, pelé et coupé en bâtonnets
6 bâtonnets de crabe, coupés en deux dans la longueur
3 cuil. à soupe de graines de sésame grillées
sauce de soja japonaise, gingembre en saumure et wasabi, en accompagnement

## méthode

**1** Diviser le riz en six. Chemiser une natte en bambou de film alimentaire de sorte que le riz n'adhère pas. Étaler une feuille de nori sur la natte en bambou, côté lisse vers le bas.

**2** Les mains mouillées, recouvrir totalement la feuille de nori d'une portion de riz et retourner le tout de sorte que le riz se retrouve sur le film alimentaire et qu'une des longueurs de la feuille soit face à soi.

**3** Aligner des bâtonnets d'avocat sur la longueur située face à soi, ajouter deux bâtonnets de crabe et aligner des bâtonnets de concombre sur le tout.

**4** Saisir la longueur de la natte située face à soi et procéder de façon à enrouler le riz autour de la farce, vers la longueur opposée à soi. Mettre les graines de sésame sur une assiette et passer le rouleau dans les graines de sorte qu'il soit bien enrobé.

**5** Couper le rouleau en quatre à l'aide d'un couteau humide très tranchant. Essuyer le couteau entre chaque mouvement. Si le couteau n'est pas assez tranchant, le rouleau peut s'écraser. Répéter l'opération avec les ingrédients restants et servir accompagné de sauce de soja, de gingembre en saumure et de wasabi.

# maki de noix de Saint-Jacques au sésame

## ingrédients

**POUR 24 SUSHIS**

- 2 grosses pommes de terre, épluchées et coupées en quartiers
- 2 cuil. à soupe de beurre
- sel et poivre
- 1 cuil. à soupe d'huile d'olive
- 8 grosses noix de Saint-Jacques sans le corail, nettoyées
- 6 feuilles de nori grillées
- 2 cuil. à soupe de mayonnaise japonaise
- 2 cuil. à soupe de graines de sésame blanches, grillées

## méthode

**1** Cuire les pommes de terre à l'eau bouillante salée 20 à 30 minutes, jusqu'à ce qu'elles soient tendres. Réduire en purée, ajouter le beurre, saler et poivrer. Mettre au réfrigérateur 30 minutes, jusqu'à ce que la purée soit ferme.

**2** Dans une poêle, chauffer l'huile, ajouter les noix de Saint-Jacques et faire revenir 2 à 3 minutes de chaque côté. Couper en 3 lamelles de la taille d'une pièce de monnaie et saler.

**3** Diviser la purée en six. Étaler une feuille de nori sur une natte en bambou, côté lisse vers le bas, une des longueurs face à soi. Déposer une portion de purée sur le tiers inférieur de la feuille, napper de mayonnaise et parsemer de graines de sésame. Ajouter un sixième des tranches de noix de Saint-Jacques.

**4** Saisir la longueur de la natte située face à soi et procéder de façon à enrouler la purée autour de la farce, vers la longueur opposée à soi. Procéder délicatement avec une pression régulière. Sceller la marge non garnie sur le rouleau.

**5** Disposer côté scellé vers le bas et couper en 4 morceaux égaux à l'aide d'un couteau humide très tranchant. Essuyer le couteau entre chaque mouvement. Répéter l'opération avec les ingrédients restants et servir.

# maki aux asperges, au crabe & aux shiitake

## ingrédients

**POUR 24 SUSHIS**

6 asperges
1 cuil. à soupe d'huile
6 champignons shiitake, émincés
1 quantité de riz (*voir* page 8)
6 petites feuilles de nori grillées
wasabi
6 bâtonnets de crabe, coupés en deux dans la longueur
sauce ponzu (*voir* page 228)

## méthode

**1** Cuire les asperges à l'eau bouillante, couper en morceaux de 9 cm et laisser refroidir.

**2** Dans une poêle, chauffer l'huile, ajouter les champignons et cuire 5 minutes à feu moyen, jusqu'à ce qu'ils soient tendres.

**3** Pour la sauce, mettre les ingrédients dans une casserole et porter à ébullition. Retirer du feu et laisser refroidir. Diviser le riz en six. Étaler une feuille de nori sur une natte en bambou, côté lisse vers le bas, une des longueurs face à soi. Les mains mouillées, étaler une portion sur la feuille en laissant 2 cm de marge sur la longueur opposée à soi.

**4** Déposer un peu de wasabi sur la longueur située face à soi, ajouter un morceau d'asperge et 2 bâtonnets de crabe, et garnir d'une rangée de champignons.

**5** Saisir la longueur de la natte située face à soi et procéder de façon à enrouler le riz autour de la farce, vers la longueur opposée à soi. Procéder délicatement avec une pression régulière. Sceller la marge non garnie sur le rouleau. Disposer côté scellé vers le bas et couper en quatre morceaux égaux à l'aide d'un couteau humide très tranchant. Répéter l'opération avec les ingrédients restants et servir accompagné de la sauce.

# brochettes de maki à l'avocat & aux crevettes

## ingrédients

**POUR 6 SUSHIS**

1 quantité de riz (*voir* page 8)
6 petites feuilles de nori grillées
1 cuil. à soupe de mayonnaise japonaise
1 cuil. à café de zeste de citron
12 crevettes tigrées cuites, décortiquées et déveinées
2 avocats mûrs, coupés en bâtonnets
1 morceau de concombre de 5 cm, pelé et coupé en bâtonnets
gingembre au saumure et wasabi, en accompagnement

## méthode

**1** Diviser le riz en six. Étaler une feuille de nori sur une natte en bambou, côté lisse vers le bas, une des longueurs face à soi. Les mains mouillées, étaler une portion de riz sur la feuille en laissant 2 cm de marge sur la longueur opposée à soi. Éviter de tasser le riz ou d'en mettre trop, il faut que la feuille de nori reste légèrement visible.

**2** Mélanger la mayonnaise et le zeste de citron, en déposer un peu sur la longueur située face à soi et ajouter deux crevettes, une rangée d'avocat à côté et une de concombre.

**3** Saisir la longueur de la natte située face à soi et procéder de façon à enrouler le riz autour de la farce, vers la longueur opposée à soi. Procéder délicatement avec une pression régulière. Sceller la marge non garnie sur le rouleau. Si une partie de la garniture tombe, la remettre à l'intérieur. Les bords du maki peuvent paraître irréguliers mais cela est sans importance.

**4** Disposer le côté scellé vers le bas et couper en quatre à l'aide d'un couteau humide. Essuyer le couteau entre chaque mouvement. Si le couteau n'est pas assez tranchant, le sushi peut s'écraser. Répéter l'opération avec les ingrédients restants et piquer 4 maki sur une brochette en bambou.

# maki au poulet teriyaki

## ingrédients

**POUR 24 SUSHIS**

150 g de blanc de poulet, coupé en lanières
2 cuil. à soupe de sauce teriyaki (*voir* page 180 ou utiliser une sauce prête à l'emploi)
1 cuil. à soupe d'huile
1 quantité de riz (*voir* page 8)
6 feuilles de nori grillées
1 morceau de concombre de 5 cm, pelé et coupé en bâtonnets
sauce de soja japonaise, wasabi, gingembre en saumure, en accompagnement

## méthode

**1** Enduire le poulet de sauce teriyaki et d'huile, mettre dans une poêle à fond rainuré en une seule couche et cuire 4 minutes sur chaque face. Transférer dans une terrine avec le jus de cuisson et laisser refroidir.

**2** Diviser le riz en six. Étaler une feuille de nori sur une natte en bambou, côté lisse vers le bas, une des longueurs face à soi. Les mains mouillées, étaler une portion de riz sur la feuille en laissant 2 cm de marge sur la longueur opposée à soi. Éviter de tasser le riz ou d'en mettre trop, il faut que la feuille de nori reste légèrement visible.

**3** Déposer une rangée de lanières de poulet sur la longueur située face à soi et ajouter une rangée de bâtonnets de concombre.

**4** Saisir la longueur de la natte située face à soi et procéder de façon à enrouler le riz autour de la farce, vers la longueur opposée à soi. Procéder délicatement avec une pression régulière. Sceller la marge non garnie sur le rouleau. Si une partie de la garniture tombe, la remettre à l'intérieur. Si les bords du maki semblent irréguliers, c'est sans importance.

**5** Disposer côté scellé vers le bas et couper en quatre morceaux égaux à l'aide d'un couteau humide très tranchant. Répéter l'opération avec les ingrédients restants et servir accompagné de sauce de soja, de wasabi et de gingembre.

# maki de porc tonkatsu

## ingrédients

**POUR 24 SUSHIS**

2 cuil. à soupe de farine
1 œuf, légèrement battu
4 cuil. à soupe de chapelure japonaise pour tonkatsu ou de chapelure blanche
200 g de filet de porc, coupé en lanières
4 cuil. à soupe d'huile
1 quantité de riz (*voir* page 8)
6 petites feuilles de nori grillées
2 cuil. à soupe de mayonnaise japonaise
sauce de soja japonaise, wasabi et gingembre en saumure, en accompagnement

## méthode

**1** Mettre la farine, l'œuf et la chapelure dans trois terrines. Passer les morceaux de porc dans la farine, l'œuf et la chapelure en pressant légèrement et laisser reposer 20 minutes au réfrigérateur.

**2** Dans une poêle, chauffer l'huile, ajouter le porc et cuire de chaque côté, jusqu'à ce que la panure soit dorée. Recouper en lamelles.

**3** Diviser le riz en six. Étaler une feuille de nori sur une natte en bambou, côté lisse vers le bas, une des longueurs face à soi. Les mains mouillées, étaler une portion de riz sur la feuille en laissant 2 cm de marge sur la longueur opposée à soi. Éviter de tasser le riz ou d'en mettre trop, il faut que la feuille de nori reste légèrement visible.

**4** Déposer un peu de mayonnaise sur la longueur située face à soi et ajouter une rangée de lanières de porc.

**5** Saisir la longueur de la natte située face à soi et procéder délicatement avec une pression régulière de façon à enrouler le riz autour de la farce, vers la longueur opposée à soi. Sceller la marge non garnie sur le rouleau.

**6** Disposer côté scellé vers le bas et couper en quatre morceaux égaux à l'aide d'un couteau humide très tranchant. Répéter l'opération avec les ingrédients restants et servir accompagné de sauce de soja, de wasabi et de gingembre.

# rouleaux inversés de bœuf teriyaki

## ingrédients

POUR 24 SUSHIS

150 g de steak
2 cuil. à soupe de sauce teriyaki (*voir* page 180 ou utiliser une sauce prête à l'emploi)
1 cuil. à soupe d'huile
1 quantité de riz (*voir* page 8)
6 petites feuilles de nori grillées
2 oignons verts, ciselés
3 cuil. à soupe de graines de sésame grillées
sauce de soja japonaise, wasabi et gingembre en saumure, en accompagnement

## méthode

**1** Attendrir la viande à l'aide d'un maillet à viande ou d'un rouleau à pâtisserie, enrober de sauce teriyaki et laisser mariner 1 heure. Dans une poêle, chauffer l'huile, ajouter la viande et cuire 3 minutes sur chaque face. Couper en lanières.

**2** Diviser le riz en six. Chemiser une natte en bambou de film alimentaire de sorte que le riz n'adhère pas. Étaler une feuille de nori sur la natte en bambou, côté lisse vers le bas.

**3** Les mains mouillées, recouvrir totalement la feuille de nori d'une portion de riz et retourner le tout de sorte que le riz se retrouve sur le film alimentaire et qu'une des longueurs de la feuille soit face à soi. Déposer un sixième de la viande sur la longueur située face à soi, ajouter une rangée d'oignons verts et parsemer avec une demi-cuillerée de graines de sésame.

**4** Saisir la longueur de la natte située face à soi et procéder de façon à enrouler le riz autour de la farce, vers la longueur opposée à soi. Mettre les graines de sésame restantes sur une assiette et passer le rouleau dans les graines de sorte qu'il soit bien enrobé.

**5** Couper en quatre à l'aide d'un couteau humide très tranchant. Répéter l'opération avec les ingrédients restants et servir accompagné de sauce de soja, de gingembre et de wasabi.

# maki au concombre & aux graines de sésame

## ingrédients

**POUR 24 SUSHIS**

2 feuilles de nori grillées
½ quantité de riz (*voir* page 8)
wasabi
4 cuil. à café de graines de sésame grillées
⅓ de concombre, épépiné et coupé en bâtonnets
sauce de soja et gingembre en saumure, en accompagnement

## méthode

**1** Replier une feuille de nori en deux dans la longueur, presser de façon à marquer le pli et couper en deux en suivant le pli. Étaler une demi-feuille sur une natte en bambou, côté lisse vers le bas, une des longueurs face à soi.

**2** Diviser le riz en quatre. Les mains mouillées, étaler une portion sur la demi-feuille en laissant 1 cm de marge sur la longueur opposée à soi.

**3** Déposer un peu de wasabi sur la longueur située face à soi, parsemer de graines de sésame et répartir en ligne un quart des bâtonnets de concombre.

**4** Saisir la longueur de la natte située face à soi et procéder de façon à enrouler le riz autour de la farce, vers la longueur opposée à soi. Procéder délicatement avec une pression régulière. Sceller la marge non garnie sur le rouleau.

**5** Disposer côté scellé vers le bas et couper en 3 morceaux égaux à l'aide d'un couteau humide très tranchant. Couper de nouveau chaque morceau obtenu en deux. Essuyer le couteau entre chaque mouvement. Répéter l'opération avec les ingrédients restants et servir accompagné de sauce de soja, de gingembre en saumure et de wasabi.

# maki au kampyo & au takuan

## ingrédients

**POUR 24 SUSHIS**

2 feuilles de nori
½ quantité de riz (*voir* page 8)
4 lamelles de takuan (daïkon en saumure), de 1 x 20 cm de long
sauce de soja japonaise, wasabi et gingembre en saumure, en accompagnement

### kampyo épicé

15 g de kampyo (lanières de courge séchée)
175 ml de dashi (*voir* page 194 ou utiliser une préparation instantanée en granules)
1 cuil. à soupe de sucre en poudre
1 cuil. à soupe de sauce de soja
sel

## méthode

**1** Frotter délicatement le kampyo de sel sous l'eau courante de façon à l'assouplir, rincer et laisser tremper 2 heures dans de l'eau fraîche. Transférer dans une casserole, couvrir d'eau et cuire 10 minutes. Égoutter, remettre dans la casserole et ajouter le dashi, le sucre et la sauce de soja. Porter à ébullition, laisser mijoter 15 minutes et laisser refroidir. Détailler en 4 lanières de 20 cm de longueur.

**2** Replier une feuille de nori en deux dans la longueur, presser de façon à marquer le pli et couper en deux en suivant le pli. Étaler une demi-feuille sur une natte en bambou, côté lisse vers le bas, une des longueurs face à soi.

**3** Diviser le riz en quatre. Les mains mouillées, étaler une portion sur la demi-feuille en laissant 1 cm de marge sur la longueur opposée à soi. Déposer une lanière de takuan sur la longueur face à soi et ajouter une lanière de kampyo.

**4** Saisir la longueur de la natte située face à soi et procéder de façon à enrouler le riz autour de la farce, vers la longueur opposée à soi. Procéder délicatement avec une pression régulière. Sceller la marge non garnie sur le rouleau. Couper en six à l'aide d'un couteau humide très tranchant. Répéter l'opération avec les ingrédients restants et servir accompagné de sauce de soja, de gingembre et de wasabi.

# maki aux poivrons & leur sauce au tahini

## ingrédients

**POUR 24 SUSHIS**

½ poivron rouge
4 asperges très fines
2 feuilles de nori grillées
½ quantité de riz (*voir* page 8)

### sauce au tahini

4 cuil. à café de tahini
1 cuil. à café de sucre
1 cuil. à café de sauce de soja
1 cuil. à café de saké

## méthode

**1** Mettre les ingrédients de la sauce dans un bol et battre jusqu'à ce que le sucre soit dissous.

**2** Passer le poivron au gril jusqu'à ce que la peau noircisse. Transférer dans un sac en plastique, laisser refroidir et retirer la peau. Couper la chair en lanières. Cuire les asperges à l'eau bouillante 1 à 2 minutes, plonger dans de l'eau glacée de façon à stopper la cuisson et égoutter.

**3** Replier une feuille de nori en deux dans la longueur, presser de façon à marquer le pli et couper en deux en suivant le pli. Étaler une demi-feuille sur une natte en bambou, côté lisse vers le bas, une des longueurs face à soi. Les mains mouillées, étaler un quart du riz sur la demi-feuille en laissant 1 cm de marge sur la longueur opposée à soi.

**4** Napper la longueur située face à soi de sauce, garnir de poivron et ajouter une asperge.

**5** Saisir la longueur de la natte située face à soi et procéder de façon à enrouler le riz autour de la farce, vers la longueur opposée à soi. Procéder délicatement avec une pression régulière. Sceller la marge non garnie sur le rouleau. Couper en six à l'aide d'un couteau humide très tranchant. Répéter l'opération avec les ingrédients restants et servir accompagné de sauce au tahini.

# maki aux champignons & aux épinards

## ingrédients

**POUR 24 SUSHIS**

200 g d'épinards, tiges retirées
½ cuil. à café d'huile de sésame
4 feuilles de nori grillées
1 quantité de riz (*voir* page 8)
wasabi
4 cuil. à café de pignons, grillés
sauce de soja japonaise, gingembre en saumure et wasabi, en accompagnement

### champignons épicés

25 g de shiitake déshydratés, mis à tremper 30 minutes et finement hachés en ôtant les tiges
175 ml de dashi (*voir* page 194 ou utiliser une préparation instantanée en granules)
1 cuil. à soupe de mirin

## méthode

**1** Mettre les champignons dans une casserole, ajouter le dashi et porter à ébullition. Laisser mijoter 15 minutes, incorporer le mirin et laisser refroidir dans la casserole. Bien égoutter.

**2** Rincer les épinards, mettre dans une casserole et cuire 2 minutes à feu moyen, jusqu'à ce qu'ils soient flétris. Égoutter, exprimer l'excédent d'eau et hacher finement. Ajouter l'huile de sésame.

**3** Étaler une feuille de nori sur une natte en bambou, côté lisse vers le bas, une des largeurs face à soi. Les mains mouillées, étaler un quart du riz sur la feuille en laissant 1 cm de marge sur la largeur opposée à soi.

**4** Déposer un peu de wasabi sur la largeur située face à soi, ajouter un quart des épinards et des champignons, et parsemer de pignons.

**5** Saisir la largeur de la natte située face à soi et procéder de façon à enrouler le tout vers la largeur opposée à soi en créant un effet de spirale. Procéder délicatement avec une pression régulière. Sceller la marge non garnie sur le rouleau. Couper en six à l'aide d'un couteau humide très tranchant. Répéter l'opération avec les ingrédients restants et servir accompagné de sauce de soja, de wasabi et de gingembre en saumure.

# maki aux prunes umeboshi

## ingrédients

**POUR 24 SUSHIS**

2 feuilles de nori
½ quantité de riz (*voir* page 8)
20 prunes umeboshi (prunes japonaises salées), dénoyautées et hachées
5 feuilles de shiso, finement hachées
sauce de soja japonaise, gingembre en saumure et wasabi, en accompagnement

## méthode

**1** Replier une feuille de nori en deux dans la longueur, presser de façon à marquer le pli et couper en deux en suivant le pli. Étaler une demi-feuille sur une natte en bambou, côté lisse vers le bas, une des longueurs face à soi.

**2** Diviser le riz en quatre. Les mains mouillées, étaler une portion sur la demi-feuille en laissant 1 cm de marge sur la longueur opposée à soi.

**3** Déposer un peu de prunes hachées sur la longueur située face à soi et parsemer d'un sixième des feuilles de shiso.

**4** Saisir la longueur de la natte située face à soi et procéder de façon à enrouler le riz autour de la farce, vers la longueur opposée à soi. Procéder délicatement avec une pression régulière. Sceller la marge non garnie sur le rouleau.

**5** Disposer côté scellé vers le bas et couper en 6 morceaux égaux à l'aide d'un couteau humide très tranchant. Essuyer le couteau entre chaque mouvement. Répéter l'opération avec les ingrédients restants et servir accompagné de sauce de soja, de gingembre en saumure et de wasabi.

# maki aux nouilles de riz

## ingrédients

**POUR 24 SUSHIS**

115 g de nouilles de riz fines
½ poivron rouge
2 cuil. à café de vinaigre de riz
1 cuil. à café de sucre
1 pincée de sel
2 oignons verts, parties vertes seulement, finement hachés
4 feuilles de nori grillées
wasabi
½ concombre, épépiné et coupé en bâtonnets
½ carotte, coupée en bâtonnets
30 g de pousses de pois mange-tout
sauce au gingembre et au sésame (*voir* page 226), en accompagnement

## méthode

**1** Cuire les nouilles selon les instructions figurant sur le paquet, rincer, égoutter et sécher avec du papier absorbant. Passer le poivron au gril jusqu'à ce que la peau noircisse. Transférer dans un sac en plastique, laisser refroidir et retirer la peau. Couper la chair en lanières.

**2** Dans une terrine, battre le vinaigre, le sucre et le sel jusqu'à ce que le sucre soit dissous, et incorporer les nouilles et les oignons verts.

**3** Étaler une feuille de nori sur une natte en bambou, côté lisse vers le bas, une des longueurs face à soi. Déposer une portion de mélange à base de nouilles sur le tiers inférieur de la feuille.

**4** Napper les nouilles d'un peu de wasabi, ajouter un quart du poivron, du concombre et de la carotte, et parsemer de pousses de pois mange-tout.

**5** Saisir la longueur de la natte située face à soi et procéder délicatement avec une pression régulière de façon à enrouler les nouilles autour de la farce. Sceller la marge non garnie sur le rouleau. Disposer côté scellé vers le bas et couper en 6 morceaux égaux à l'aide d'un couteau humide. Répéter l'opération avec les ingrédients restants et servir accompagné de sauce au gingembre et au sésame.

# rouleaux inversés à l'avocat & au shibazuke

## ingrédients

**POUR 24 SUSHIS**

4 feuilles de nori grillées
1 quantité de riz (*voir* page 8)
½ concombre, épépiné et coupé en bâtonnets
1 avocat, dénoyauté, pelé et coupé en bâtonnets
115 g de shibazuke (aubergine en saumure) ou autre légume japonais en saumure
20 brins de ciboulette
2 cuil. à soupe de graines de sésame noires, grillées
2 cuil. à soupe de graines de sésame blanches, grillées
sauce de soja japonaise, wasabi et gingembre en saumure, en accompagnement

## méthode

**1** Étaler une feuille de nori sur une natte en bambou, côté lisse vers le bas. Les mains mouillées, recouvrir totalement la feuille de nori d'un quart du riz.

**2** Couvrir le riz de film alimentaire et retourner le tout de sorte que le riz se retrouve sous la feuille de nori et qu'une des largeurs de la feuille soit face à soi.

**3** Déposer un rang de concombre sur la largeur située face à soi, ajouter des bâtonnets d'avocat et du shibazuke, et garnir de 5 brins de ciboulette.

**4** Saisir la largeur de la natte située face à soi et procéder de façon à enrouler le tout vers la largeur opposée à soi en créant un effet de spirale. Procéder délicatement avec une pression régulière. Mettre les graines de sésame sur une assiette et passer le rouleau dans les graines de sorte qu'il soit bien enrobé.

**5** Couper le rouleau en six à l'aide d'un couteau humide très tranchant. Essuyer le couteau entre chaque mouvement. Si le couteau n'est pas assez tranchant, le rouleau peut s'écraser. Répéter l'opération avec les ingrédients restants et servir accompagné de sauce de soja, de gingembre en saumure et de wasabi.

# rouleaux d'omelette à la sauce ponzu

## ingrédients

**POUR 6 À 8 SUSHIS**

8 pointes d'asperges
4 œufs
1 cuil. à soupe d'eau
1 cuil. à soupe de mirin
1 cuil. à café de sauce de soja
½ cuil. à soupe d'huile
sauce ponzu (*voir* page 228), en accompagnement

## méthode

**1** Cuire les asperges à l'eau bouillante, couper en morceaux de 9 cm et laisser refroidir.

**2** Battre les œufs avec l'eau, le mirin et la sauce de soja. Dans une poêle antiadhésive, chauffer l'huile, verser le mélange à base d'œufs et cuire jusqu'à ce que le dessus soit juste cuit. Disposer les asperges en superposant les couches à une extrémité de la poêle.

**3** Secouer la poêle pour décoller l'omelette, soulever délicatement du côté des aspèrges et rouler à l'aide de baguettes chinoises en inclinant légèrement la poêle.

**4** Disposer une feuille de film alimentaire au centre d'une natte en bambou, déposer l'omelette sur la natte et rouler de nouveau de sorte que l'omelette conserve sa forme. Laisser refroidir.

**5** Retirer l'omelette de la natte en bambou et couper en morceaux de 2 cm à l'aide d'un couteau humide très tranchant. Disposer les morceaux sur un plat de service et servir accompagné de sauce ponzu.

# rouleaux d'omelette au fromage frais

## ingrédients

**POUR 24 SUSHIS**

1 quantité de riz (*voir* page 8)
4 feuilles de nori grillées
wasabi
2 poivrons rouges, coupés en quartiers et épépinés, passés au gril, pelé et coupés en lanières
85 g de fromage frais
20 brins de ciboulette

### rouleaux d'omelette

6 œufs
1 cuil. à café de sucre
2 cuil. à café de mirin
1 cuil. à café de sauce de soja japonaise
¼ de cuil. à café de sel
4 cuil. à café d'huile

## méthode

**1** Battre les œufs avec le sucre, la sauce de soja, le mirin et le sel, en veillant à ne pas former de grosses bulles d'air. Filtrer.

**2** Dans une poêle, chauffer 1 cuillerée à café d'huile, verser un quart du mélange précédent et cuire à feu moyen jusqu'à ce que l'omelette ait presque pris. Retourner et cuire l'autre face. Laisser refroidir l'omelette sur du papier sulfurisé et découper de sorte qu'elle soit carrée.

**3** Disposer une feuille de film alimentaire au centre d'une natte en bambou et ajouter l'omelette. Les mains mouillées, recouvrir totalement l'omelette d'un quart du riz et ajouter une feuille de nori en la découpant si nécessaire de sorte qu'elle ait la même taille que l'omelette.

**4** Déposer un peu de wasabi sur le côté situé face à soi, napper de fromage frais et garnir de poivrons et de 5 brins de ciboulette. Saisir le côté de la natte situé face à soi et procéder de façon à enrouler le tout vers le côté opposé à soi en créant un effet de spirale. Procéder délicatement avec une pression régulière.

**5** Disposer côté scellé vers le bas et couper en six à l'aide d'un couteau humide très tranchant. Répéter l'opération avec les ingrédients restants et servir en veillant bien à conserver les rouleaux côté scellé vers le bas.

# sushis en cornet

Les sushis en cornet (temaki zushi) sont des cônes constitués de feuilles de nori grillées, garnies de riz et de divers autres ingrédients. Ils se préparent rapidement et se mangent avec les doigts, ce qui les rend parfaits pour les buffets ou les soirées festives.

Les sushis en cornet doivent être consommés immédiatement après leur préparation, car le nori perd vite son aspect croustillant. Si vous avez envie de laisser vos invités les confectionner à leur goût, préparez simplement les ingrédients à l'avance, donnez à vos convives quelques feuilles de nori, et montrez-leur comment les rouler. Il serait bon que chacun dispose d'un bol rempli d'eau tiède, ainsi que de serviettes chaudes pour se sécher les doigts.

Les sushis en armure (gunkan maki) apporteront une touche de fantaisie sur votre table. Le riz est roulé en boulettes oblongues, puis enveloppé dans une feuille de nori présentée de manière à rendre la garniture visible. Les sushis en armure sont adaptés aux ingrédients mous comme les œufs de poisson. Ils doivent être dégustés de suite. Dans l'inari zushi, le riz est enrobé dans une feuille de tofu. Ce type de sushi est délicieux avec du riz vinaigré, mais vous pouvez varier en ajoutant du gingembre en saumure, des graines de sésame grillées, des champignons émincés ou des lamelles de poulet, par exemple.

# temaki de thon aux œufs de saumon

## ingrédients

**POUR 6 SUSHIS**

115 g de thon pour sashimi
3 feuilles de nori grillées
¼ de quantité de riz (*voir* page 8)
wasabi
6 feuilles de shiso, finement hachées
2 cuil. à soupe d'œufs de saumon
sauce de soja japonaise, gingembre en saumure et wasabi, en accompagnement

## méthode

**1** À l'aide d'un couteau très tranchant humide, couper le thon en lanières de 8 mm d'épaisseur. Essuyer le couteau avec un torchon mouillé entre chaque mouvement.

**2** Replier une feuille de nori en deux dans la longueur, presser de façon à marquer le pli et couper en deux en suivant le pli. Utiliser une feuille à la fois et réserver les feuilles restantes dans du film alimentaire.

**3** Étaler une demi-feuille de nori sur un plan de travail et répartir 1 cuillerée à soupe de riz sur la partie gauche de la feuille. Déposer un peu de wasabi sur le riz, garnir d'un sixième du thon et ajouter un sixième des feuilles de shiso.

**4** Replier à angle droit le coin inférieur gauche de la feuille de nori de sorte qu'il recouvre la garniture et rouler le tout en cône. Sceller les bords de la feuille avec quelques gouttes d'eau vinaigrée.

**5** Garnir le cône d'une cuillerée à café d'œufs de saumon. Répéter l'opération avec les ingrédients restants de façon à obtenir 6 cônes. Servir accompagné de gingembre en saumure, de sauce de soja et de wasabi.

# temaki d'anguille laquée

## ingrédients

**POUR 6 SUSHIS**

125 ml de sauce de soja
2 cuil. à soupe de mirin
2 cuil. à soupe de saké
miel, selon son goût
3 grandes feuilles de nori grillées
¼ de quantité de riz (*voir* page 8)
2 filets d'anguille fumée, coupés en lanières dans la longueur
½ avocat mûr, coupé en lamelles
sauce de soja japonaise, gingembre en saumure et wasabi, en accompagnement

## méthode

**1** Mettre la sauce de soja, le mirin et le saké dans une casserole et laisser mijoter 5 minutes, jusqu'à ce que le mélange épaississe. Incorporer 1 cuillerée à café de miel ou plus, de sorte que la sauce soit sucrée selon son goût.

**2** Replier une feuille de nori en deux dans la longueur, presser de façon à marquer le pli et couper en deux en suivant le pli. Utiliser une feuille à la fois et réserver les feuilles restantes dans du film alimentaire.

**3** Étaler une demi-feuille de nori sur un plan de travail et répartir 1 cuillerée à soupe de riz sur la partie gauche de la feuille. Déposer un sixième de l'anguille sur le riz, arroser le tout de sauce et ajouter deux lamelles d'avocat.

**4** Replier à angle droit le coin inférieur gauche de la feuille de nori de sorte qu'il recouvre la garniture et rouler le tout en cône. Sceller les bords de la feuille avec quelques gouttes d'eau vinaigrée.

**5** Répéter l'opération avec les ingrédients restants de façon à obtenir 6 cônes. Servir accompagné de gingembre en saumure, de sauce de soja et de wasabi.

# temaki de saumon au takuan

## ingrédients

**POUR 6 SUSHIS**

115 g de saumon pour sashimi
3 feuilles de nori grillées
¼ de quantité de riz (*voir* page 8)
wasabi
⅓ de concombre, pelé, épépiné et coupé en lanières
55 g de takuan (daïkon en saumure), coupé en lanières
sauce de soja japonaise, gingembre en saumure et wasabi, en accompagnement

## méthode

**1** À l'aide d'un couteau très tranchant humide, couper le saumon en lanières de 8 mm d'épaisseur. Essuyer le couteau avec un torchon mouillé entre chaque mouvement.

**2** Replier une feuille de nori en deux dans la longueur, presser de façon à marquer le pli et couper en deux en suivant le pli. Utiliser une feuille à la fois et réserver les feuilles restantes dans du film alimentaire.

**3** Étaler une demi-feuille de nori sur un plan de travail et répartir 1 cuillerée à soupe de riz sur la partie gauche de la feuille. Déposer un peu de wasabi sur le riz, garnir d'un sixième du saumon et ajouter un sixième du concombre et du takuan.

**4** Replier à angle droit le coin inférieur gauche de la feuille de nori de sorte qu'il recouvre la garniture et rouler le tout en cône. Sceller les bords de la feuille avec quelques gouttes d'eau vinaigrée.

**5** Répéter l'opération avec les ingrédients restants de façon à obtenir 6 cônes. Servir accompagné de gingembre en saumure, de sauce de soja et de wasabi.

# temaki de cabillaud à la sauce tartare

## ingrédients

**POUR 6 SUSHIS**

150 g de préparation pour tempura instantanée
huile, pour la friture
175 g de poisson à chair blanche, coupé en lanières de 5 mm d'épaisseur et de 5 cm de long
3 grandes feuilles de nori grillées
¼ de quantité de riz (*voir* page 8)
3 cuil. à soupe de sauce tartare, un peu plus en accompagnement
3 oignons verts, coupés en deux dans la longueur et ciselés

## méthode

**1** Délayer la préparation pour tempura dans de l'eau en suivant les instructions figurant sur le paquet. La pâte doit être grumeleuse et contenir de grosses bulles d'air. Dans un wok, chauffer de l'huile à 180 °C de sorte qu'un dé de pain y brunisse en 30 secondes.

**2** Plonger 3 lanières de poisson dans la pâte, plonger dans l'huile et faire frire 2 à 3 minutes, jusqu'à ce que la pâte soit dorée et le poisson bien cuit. Égoutter sur du papier absorbant et répéter l'opération avec le poisson restant.

**3** Replier une feuille de nori en deux dans la longueur, presser de façon à marquer le pli et couper en deux en suivant le pli. Étaler une demi-feuille sur un plan de travail et répartir 1 cuillerée à soupe de riz sur la partie gauche de la feuille. Déposer ½ cuillerée à soupe de sauce tartare sur le riz, garnir de 2 lanières de poisson et ajouter un sixième des oignons verts.

**4** Replier à angle droit le coin inférieur gauche de la feuille de nori de sorte qu'il recouvre la garniture et rouler le tout en cône. Sceller les bords de la feuille avec quelques gouttes d'eau vinaigrée.

**5** Répéter l'opération avec les ingrédients restants de façon à obtenir 6 cônes. Servir accompagné de la sauce tartare restante.

# temaki de thon tataki

## ingrédients

**POUR 6 SUSHIS**

1 cuil. à café de poivre noir
1 cuil. à soupe de gingembre frais râpé
1 cuil. à soupe de graines de sésame
150 g de filet de thon très frais
sel
2 cuil. à soupe d'huile
3 grandes feuilles de nori grillées
¼ de quantité de riz pour sushis (*voir* page 8)
½ concombre, coupé en bâtonnets
4 cuil. à soupe de mayonnaise japonaise
wasabi

## méthode

**1** Mélanger le poivre, le gingembre et les graines de sésame, et enrober le thon en pressant bien la surface. Saler légèrement.

**2** Dans une poêle, chauffer l'huile jusqu'à ce qu'elle soit très chaude, ajouter le thon et cuire 4 minutes sur chaque face, jusqu'à ce qu'il soit bien cuit mais encore ferme. Retirer de la poêle, laisser refroidir et couper en fines tranches.

**3** Replier une feuille de nori en deux dans la longueur, presser de façon à marquer le pli et couper en deux en suivant le pli. Étaler une demi-feuille sur un plan de travail et répartir 1 cuillerée à soupe de riz sur la partie gauche de la feuille. Déposer un sixième du thon et du concombre sur le riz, napper d'un peu de mayonnaise et ajouter une pointe de wasabi.

**4** Replier à angle droit le coin inférieur gauche de la feuille de nori de sorte qu'il recouvre la garniture et rouler le tout en cône. Sceller les bords de la feuille avec quelques gouttes d'eau vinaigrée.

**5** Répéter l'opération avec les ingrédients restants de façon à obtenir 6 cônes.

# temaki de calmars

## ingrédients

**POUR 6 SUSHIS**

4 cuil. à soupe de farine
1 cuil. à café de grains de poivre du Sichuan ou de poivre noir, écrasés
1 cuil. à café de gros sel, écrasé
12 anneaux de calmars, membranes retirées et coupées en deux
huile, pour la friture
3 grandes feuilles de nori grillées
¼ de quantité de riz (*voir* page 8)
4 cuil. à soupe de mayonnaise japonaise

## méthode

**1** Mélanger la farine, le poivre du Sichuan et le sel, et mettre dans un sac en plastique. Ajouter les calmars et secouer le sac de sorte qu'ils soient bien enrobés.

**2** Dans un wok, chauffer 2 cm d'huile jusqu'à ce qu'elle soit très chaude, ajouter quelques calmars et faire frire 1 minute sans cesser de remuer, jusqu'à ce qu'ils soient dorés. Égoutter sur du papier absorbant et répéter l'opération avec les calmars restants.

**3** Replier une feuille de nori en deux dans la longueur, presser de façon à marquer le pli et couper en deux en suivant le pli. Étaler une demi-feuille sur un plan de travail et répartir 1 cuillerée à soupe de riz sur la partie gauche de la feuille. Déposer un sixième des calmars sur le riz et napper d'un peu de mayonnaise.

**4** Replier à angle droit le coin inférieur gauche de la feuille de nori de sorte qu'il recouvre la garniture et rouler le tout en cône. Sceller les bords de la feuille avec quelques gouttes d'eau vinaigrée.

**5** Répéter l'opération avec les ingrédients restants de façon à obtenir 6 cônes.

# temaki de saumon au piment doux

## ingrédients

**POUR 6 SUSHIS**

150 g de filet de saumon, avec la peau
sel et poivre
1 cuil. à soupe d'huile
¼ de quantité de riz pour sushis (*voir* page 8)
3 grandes feuilles de nori grillées
2 oignons verts, coupés en deux et ciselés
4 cuil. à soupe de mayonnaise japonaise
2 cuil. à soupe de sauce au piment douce
bâtonnets de concombre, en accompagnement

## méthode

**1** Saler et poivrer le saumon.

**2** Dans une poêle, chauffer l'huile jusqu'à ce qu'elle soit très chaude, ajouter le saumon côté peau vers le bas et cuire 2 minutes, jusqu'à ce que la peau soit croustillante. Réduire le feu et cuire encore 2 minutes à feu moyen. Retourner le poisson et cuire 1 minute, jusqu'à ce qu'il soit bien cuit. Laisser refroidir et émietter en laissant la peau sur quelques morceaux.

**3** Replier une feuille de nori en deux dans la longueur, presser de façon à marquer le pli et couper en deux en suivant le pli. Étaler une demi-feuille sur un plan de travail et répartir 1 cuillerée à soupe de riz sur la partie gauche de la feuille. Déposer un sixième du saumon et des oignons verts sur le riz et napper d'un peu de mayonnaise et de sauce au piment douce.

**4** Replier à angle droit le coin inférieur gauche de la feuille de nori de sorte qu'il recouvre la garniture et rouler le tout en cône. Sceller les bords de la feuille avec quelques gouttes d'eau vinaigrée.

**5** Répéter l'opération avec les ingrédients restants de façon à obtenir 6 cônes. Servir accompagné de bâtonnets de concombre.

# temaki de hamachi

## ingrédients

**POUR 4 SUSHIS**

115 g de hamachi pour sashimi (espèce japonaise de mulet)
3 feuilles de nori grillées
¼ de quantité de riz (*voir* page 8)
1 poignée de pousses d'épinard fraîches
2 cuil. à soupe de prunes umeboshi (prunes japonaises salées) hachées
¼ de concombre, épépiné et coupé en bâtonnets
2 cuil. à soupe de graines de sésame blanches
sauce de soja japonaise, gingembre en saumure et wasabi, en accompagnement

## méthode

**1** À l'aide d'un couteau très tranchant humide, couper le poisson en lanières de 8 mm d'épaisseur. Essuyer le couteau avec un torchon mouillé entre chaque mouvement.

**2** Replier une feuille de nori en deux dans la longueur, presser de façon à marquer le pli et couper en deux en suivant le pli. Étaler une demi-feuille sur un plan de travail et répartir 1 cuillerée à soupe de riz sur la partie gauche de la feuille. Déposer quelques pousses d'épinard sur le riz et ajouter un sixième du poisson, des prunes et du concombre.

**3** Replier à angle droit le coin inférieur gauche de la feuille de nori de sorte qu'il recouvre la garniture et rouler le tout en cône. Sceller les bords de la feuille avec quelques gouttes d'eau vinaigrée.

**4** Parsemer la garniture apparente d'une cuillerée à café de graines de sésame grillées et répéter l'opération avec les ingrédients restants de façon à obtenir 6 cônes. Servir accompagné de sauce de soja, de gingembre en saumure et de wasabi.

# temaki de tempura de crevettes

## ingrédients

**POUR 6 SUSHIS**

6 grosses crevettes, décortiquées et déveinées
150 g de préparation pour tempura
huile, pour la friture
3 feuilles de nori grillées
¼ de quantité de riz (*voir* page 8)
1 poignée de feuilles de laitue, ciselées
1 piment rouge et 1 piment vert, épépinés et coupés en très fines lanières (facultatif)
sauce pour tempura (*voir* page 204), en accompagnement

## méthode

**1** Pratiquer quelques incisions sur les crevettes de sorte qu'elles ne se recourbent pas trop à la cuisson.

**2** Délayer la préparation pour tempura dans de l'eau en suivant les instructions figurant sur le paquet. La pâte doit être grumeleuse et contenir de grosses bulles d'air. Dans un wok, chauffer de l'huile à 180 °C de sorte qu'un dé de pain y brunisse en 30 secondes.

**3** Plonger 3 crevettes dans la pâte, plonger dans l'huile et faire frire 2 à 3 minutes, jusqu'à ce qu'elles soient dorées. Égoutter sur du papier absorbant et répéter l'opération avec les crevettes restantes.

**4** Couper les feuilles de nori en deux (*voir* page 78). Étaler une demi-feuille sur un plan de travail et répartir 1 cuillerée à soupe de riz sur la partie gauche de la feuille. Déposer de la laitue et une crevette sur le riz et ajouter éventuellement les lanières de piment.

**5** Replier à angle droit le coin inférieur gauche de la feuille de nori de sorte qu'il recouvre la garniture et rouler le tout en cône. Sceller les bords de la feuille avec quelques gouttes d'eau vinaigrée. Répéter l'opération avec les ingrédients restants de façon à obtenir 6 cônes. Servir accompagné de sauce pour tempura.

# temaki de canard à la sauce hoisin

## ingrédients

**POUR 6 SUSHIS**

¼ de canard laqué
4 cuil. à soupe de sauce hoisin ou de sauce aux prunes
3 grandes feuilles de nori grillées
¼ de quantité de riz pour sushis (*voir* page 8)
2 oignons verts, coupés en deux et ciselés, un peu plus pour garnir

## méthode

**1** Retirer la peau et la chair du canard, et couper en lanières. S'il y a beaucoup de peau, conserver uniquement les morceaux les plus croustillants.

**2** Enrober les lanières de viande et de peau de sauce hoisin ou de sauce aux prunes.

**3** Replier une feuille de nori en deux dans la longueur, presser de façon à marquer le pli et couper en deux en suivant le pli. Étaler une demi-feuille sur un plan de travail et répartir 1 cuillerée à soupe de riz sur la partie gauche de la feuille. Déposer un sixième des lanières de viande et de peau de canard sur le riz, ajouter un sixième des oignons verts et arroser d'un peu de sauce hoisin ou aux prunes.

**4** Replier à angle droit le coin inférieur gauche de la feuille de nori de sorte qu'il recouvre la garniture et rouler le tout en cône. Sceller les bords de la feuille avec quelques gouttes d'eau vinaigrée.

**5** Répéter l'opération avec les ingrédients restants de façon à obtenir 6 cônes. Servir garni d'oignons verts ciselés.

# temaki de rôti de bœuf à la mayonnaise au wasabi

## ingrédients

**POUR 6 SUSHIS**

55 g de daïkon frais (long radis blanc japonais), pelé
3 feuilles de nori grillées
¼ de quantité de riz (*voir* page 8)
55 g de mizuna
6 fines tranches de rôti de bœuf cru

### mayonnaise au wasabi

2 cuil. à soupe de mayonnaise
1 cuil. à café de wasabi, selon son goût

## méthode

**1** Émincer le daïkon à l'aide d'une mandoline. À défaut de mandoline, couper en longues lamelles très fines, et couper chaque lamelle en lanières les plus fines possible. Rincer, égoutter et réserver au réfrigérateur.

**2** Mélanger la mayonnaise et le wasabi, et réserver.

**3** Replier une feuille de nori en deux dans la longueur, presser de façon à marquer le pli et couper en deux en suivant le pli.

**4** Étaler une demi-feuille sur un plan de travail et répartir 1 cuillerée à soupe de riz sur la partie gauche de la feuille. Déposer 1 cuillerée à café de mayonnaise au wasabi sur le riz et ajouter quelques feuilles de mizuna et un sixième du daïkon. Rouler une tranche de rôti de bœuf et ajouter sur le tout.

**5** Replier à angle droit le coin inférieur gauche de la feuille de nori de sorte qu'il recouvre la garniture et rouler le tout en cône. Sceller les bords de la feuille avec quelques gouttes d'eau vinaigrée. Répéter l'opération avec les ingrédients restants de façon à obtenir 6 cônes.

# temaki végétariens

## ingrédients

**POUR 6 SUSHIS**

3 feuilles de nori grillées
¼ de quantité de riz (*voir* page 8)
wasabi
6 brins de cresson
¼ de concombre, pelé, épépiné et coupé en bâtonnets
1 avocat, dénoyauté, pelé et coupé en 12 lamelles
55 g de shibazuke (aubergine en saumure) ou autre légume japonais en saumure
18 brins de ciboulette
sauce de soja japonaise, gingembre en saumure et wasabi, en accompagnement

## méthode

**1** Replier une feuille de nori en deux dans la longueur, presser de façon à marquer le pli et couper en deux en suivant le pli. Utiliser une feuille à la fois et réserver les feuilles restantes dans du film alimentaire.

**2** Étaler une demi-feuille sur un plan de travail et répartir 1 cuillerée à soupe de riz sur la partie gauche de la feuille. Déposer un peu de wasabi sur le riz, ajouter 1 brin de cresson, un sixième du concombre, 2 lamelles d'avocat et un sixième du shibazuke, et garnir de 3 brins de ciboulette.

**3** Replier à angle droit le coin inférieur gauche de la feuille de nori de sorte qu'il recouvre la garniture et rouler le tout en cône. Sceller les bords de la feuille avec quelques gouttes d'eau vinaigrée.

**4** Répéter l'opération avec les ingrédients restants de façon à obtenir 6 cônes et servir accompagné de sauce de soja, de gingembre en saumure et de wasabi.

# cornets d'omelette au takuan & aux feuilles de shiso

## ingrédients

**POUR 6 SUSHIS**

¼ de quantité de riz (*voir* page 8)
wasabi
55 g de takuan (daïkon en saumure), coupé en lanières
6 feuilles de shiso

### cornets d'omelette

4 œufs
1 cuil. à café de sucre
2 cuil. à café de mirin
1 cuil. à café de sauce de soja japonaise
¼ de cuil. à café de sel
3 cuil. à café d'huile

## méthode

**1** Pour l'omelette, battre les œufs avec le sucre, le mirin, la sauce de soja et le sel, en veillant à ne pas incorporer trop d'air. Filtrer.

**2** Dans une poêle, chauffer 1 cuillerée à café d'huile, verser un tiers du mélange précédent et cuire à feu moyen jusqu'à ce que l'omelette ait presque pris. Retourner et cuire l'autre face. Laisser refroidir l'omelette sur du papier sulfurisé, découper en carré et diviser en deux. Répéter l'opération de façon à obtenir 6 morceaux au total.

**3** Étaler un morceau d'omelette sur un plan de travail et répartir 1 cuillerée à soupe de riz sur la partie gauche du morceau. Déposer un peu de wasabi sur le riz, ajouter un sixième du takuan et une feuille de shiso.

**4** Replier à angle droit le coin inférieur gauche du morceau d'omelette de sorte qu'il recouvre la garniture et rouler le tout en cône.

**5** Servir au fur et à mesure de la confection des cornets.

# gunkan aux œufs de saumon

## ingrédients

**POUR 8 SUSHIS**

⅓ de quantité de riz (*voir* page 8)
2 petites feuilles de nori grillées, coupées en quatre dans la longueur
wasabi
8 cuil. à soupe d'œufs de saumon ou de truite
sauce de soja et gingembre en saumure, en accompagnement

## méthode

**1** Diviser le riz en 8 portions. Les mains mouillées, façonner chaque portion en ovale. Envelopper les portions de feuilles de nori, découper l'excédent et sceller les bords de la feuille avec quelques gouttes d'eau vinaigrée.

**2** Déposer un peu de wasabi sur chaque portion de riz, garnir d'une cuillerée à soupe d'œufs de saumon et servir accompagné de sauce de soja et de gingembre en saumure.

# gunkan à la truite & au saumon fumés

## ingrédients

**POUR 8 SUSHIS**

1/3 de quantité de riz (*voir* page 8)
2 petites feuilles de nori grillées, coupées en quatre dans la longueur
2 cuil. à soupe de mayonnaise japonaise
1 cuil. à café de zeste de citron râpé
2 cuil. à café de jus de citron
2 oignons verts, finement hachés
1 filet de truite fumée, émietté
55 g de saumon fumé, coupé en lanières
sauce ponzu (*voir* page 228) et radis émincés, en accompagnement

## méthode

**1** Diviser le riz en 8 portions. Les mains mouillées, façonner chaque portion en ovale. Envelopper les portions de feuilles de nori, découper l'excédent et sceller les bords de la feuille avec quelques gouttes d'eau vinaigrée.

**2** Mélanger la mayonnaise avec le jus et le zeste de citron, et napper chaque portion de riz. Parsemer d'oignons verts et ajouter du saumon et de la truite fumés. Servir accompagné de sauce ponzu et de radis hachés.

# gunkan au citron, au crabe & au poivre noir

## ingrédients

**POUR 8 SUSHIS**

1 petit crabe, cuit
1 cuil. à café de zeste de citron râpé
1 cuil. à café de poivre noir
2 cuil. à soupe de mayonnaise japonaise
sel
⅓ de quantité de riz (*voir* page 8)
2 petites feuilles de nori grillées, coupées en quatre dans la longueur
jus d'un citron
2 citrons coupés en quartiers, en accompagnement

## méthode

**1** Retirer la chair de crabe de sa coquille, mélanger avec le zeste de citron, le poivre noir et la mayonnaise, et saler.

**2** Diviser le riz en 8 portions. Les mains mouillées, façonner chaque portion en ovale. Envelopper les portions de feuilles de nori, découper l'excédent et sceller les bords de la feuille avec quelques gouttes d'eau vinaigrée.

**3** Garnir chaque portion de riz de mélange à base de crabe, arroser de jus de citron et servir accompagné de quartiers de citron.

# gunkan aux haricots verts

## ingrédients

**POUR 8 SUSHIS**

20 haricots verts, éboutés, parés et finement émincés en biais
1 cuil. à soupe d'huile de sésame
1 cuil. à soupe de graines de sésame grillées
sel et poivre noir
1 cuil. à café de zeste de citron râpé
1/3 de quantité de riz (*voir* page 8)
2 petites feuilles de nori grillées, coupées en quatre dans la longueur
wasabi
sauce de soja et gingembre en saumure, en accompagnement

## méthode

**1** Porter une casserole d'eau à ébullition, ajouter les haricots verts et cuire 2 minutes. Égoutter et enrober d'huile et de graines de sésame. Saler, poivrer et incorporer le zeste de citron.

**2** Diviser le riz en 8 portions. Les mains mouillées, façonner chaque portion en ovale. Envelopper les portions de feuilles de nori, découper l'excédent et sceller les bords de la feuille avec quelques gouttes d'eau vinaigrée.

**3** Déposer un peu de wasabi sur chaque portion de riz, garnir de haricots verts et servir accompagné de sauce de soja et de gingembre en saumure.

# inari-sushi

## ingrédients

**POUR 8 SUSHIS**

4 feuilles d'abura-agé (fines tranches de tofu frites)
175 ml de dashi (*voir* page 194 ou utiliser une préparation instantanée en granules)
3 cuil. à soupe de sauce de soja
2 cuil. à soupe de sucre
1 cuil. à soupe de saké
¼ de quantité de riz (*voir* page 8)
1 cuil. à soupe de graines de sésame grillées

## méthode

**1** Plonger les feuilles de tofu dans de l'eau bouillante de façon à éliminer l'excédent de matières grasses. Égoutter et laisser refroidir. Couper chaque feuille en deux et ouvrir délicatement chaque moitié.

**2** Dans une casserole, mettre le dashi, la sauce de soja, le sucre et le saké, et porter à ébullition. Ajouter les demi-feuilles de tofu et laisser mijoter 10 à 15 minutes, jusqu'à ce que le liquide soit presque entièrement absorbé. Retirer du feu, égoutter et laisser refroidir. À l'aide d'un torchon, ôter l'excédent de liquide resté dans les demi-feuilles de tofu. Elles doivent toutefois rester légèrement humides.

**3** Incorporer les graines de sésame au riz, farcir les demi-feuilles de tofu du mélange obtenu et replier les bords pour fermer. Servir à température ambiante.

# inari-sushi au poulet pimenté

## ingrédients

**POUR 8 SUSHIS**

4 feuilles d'abura-agé (fines tranches de tofu frites)
175 ml de dashi (*voir* page 194 ou utiliser une préparation instantanée en granules)
3 cuil. à soupe de sauce de soja japonaise
2 cuil. à soupe de sucre
1 cuil. à soupe de saké
1 blanc de poulet de 150 g, sans la peau
1 cuil. à soupe d'huile
1 cuil. à café de flocons de piment
2 cuil. à soupe de pignons, grillés
1 cuil. à soupe de persil plat frais haché
¼ de quantité de riz (*voir* page 8)

## méthode

**1** Plonger les feuilles de tofu dans de l'eau bouillante de façon à éliminer l'excédent de matières grasses. Égoutter et laisser refroidir. Couper chaque feuille en deux et ouvrir délicatement chaque moitié.

**2** Dans une casserole, mettre le dashi, la sauce de soja, le sucre et le saké, et porter à ébullition. Ajouter les demi-feuilles de tofu et laisser mijoter 10 à 15 minutes, jusqu'à ce que le liquide soit presque entièrement absorbé. Retirer du feu, égoutter et laisser refroidir. À l'aide d'un torchon, ôter l'excédent de liquide resté dans les demi-feuilles de tofu. Elles doivent toutefois rester légèrement humides.

**3** Couper le poulet en fines lanières. Dans un wok ou une poêle, chauffer l'huile, ajouter les flocons de piment et cuire quelques secondes. Ajouter le poulet et cuire 3 à 4 minutes, jusqu'à ce qu'il soit bien cuit. Égoutter sur du papier absorbant, hacher finement et laisser refroidir.

**4** Mélanger délicatement le poulet haché, les pignons grillés, le persil et le riz, farcir les demi-feuilles de tofu du mélange obtenu et replier les bords pour fermer. Servir à température ambiante.

# aumônières d'omelette aux champignons

## ingrédients

**POUR 6 SUSHIS**

15 g de beurre
225 g de champignons frais, pleurotes ou shiitake par exemple, émincés
¼ de quantité de riz (*voir* page 8)
1 cuil. à soupe de persil plat frais haché
1 pincée de poivre de Cayenne
6 brins de ciboulette
sauce de soja japonaise, gingembre en saumure et wasabi, en accompagnement

### aumônières d'omelette

4 œufs
1 cuil. à café de sucre
2 cuil. à café de mirin
1 cuil. à café de sauce de soja japonaise
¼ de cuil. à café de sel
4 cuil. à café d'huile

## méthode

**1** Dans une casserole, chauffer le beurre jusqu'à ce qu'il soit grésillant, ajouter les champignons et cuire 3 à 4 minutes à feu vif, jusqu'à ce qu'ils aient réduit de moitié et qu'ils soient dorés.

**2** Égoutter, hacher finement et incorporer le riz, le persil et le poivre de Cayenne.

**3** Pour l'omelette, battre les œufs avec le sucre, le mirin, la sauce de soja et le sel, en veillant à ne pas incorporer trop d'air. Filtrer.

**4** Dans une poêle de 15 cm de diamètre, verser ⅔ de cuillerée de café d'huile et chauffer à feu moyen à doux. Verser un sixième du mélange précédent, cuire jusqu'à ce que l'omelette ait presque pris et retourner. Cuire l'autre face, transférer sur une assiette couverte de papier absorbant et laisser refroidir. Répéter l'opération de façon à obtenir 6 omelettes de 15 cm de diamètre.

**5** Étaler une omelette sur un plan de travail, déposer un sixième de la préparation à base de champignons au centre et rassembler les bords de façon à obtenir une petite aumônière. Maintenir avec un brin de ciboulette et servir accompagné de sauce de soja, de gingembre en saumure et de wasabi.

# sashimis & sushis pressés

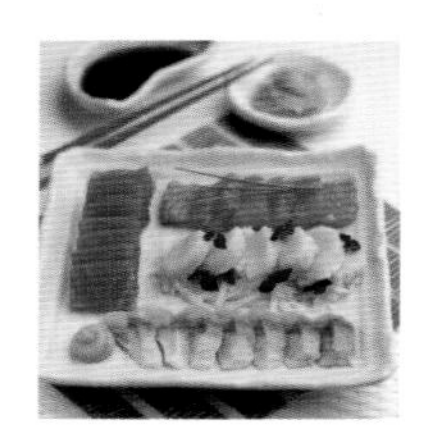

Un des principaux attraits esthétiques du sushi est sa forme précise, presque géométrique. Pour les sushis pressés (oshi zushi), aussi appelés sushis moulés, mieux vaut se procurer un moule à sushi. Choisissez entre la version traditionnelle, en bois, et la version moderne, en plastique. Les moules à sushi se déclinent en différentes tailles. Celle qui est présentée dans ces pages fabrique cinq sushis à la fois.

Si vous ne disposez pas d'un moule à sushi, utilisez un moule à cake de 8 cm de largeur, qui vous permettra de faire quinze sushis à la fois. Utilisez alors seulement les trois quarts du riz, et augmentez de moitié la quantité des autres ingrédients, afin de pouvoir garnir tout le moule. Couvrez celui-ci d'un film plastique avant d'ajouter la garniture et recouvrez les sushis d'un autre film plastique. Placez une poêle par-dessus, et lestez-la à l'aide de poids. Laissez reposer un quart d'heure, puis retirez les poids et la poêle, et enlevez le film plastique au-dessus des sushis.

Les sushis à la main (nigiri sushi) se réalisent facilement à l'aide d'un moule à sushi, mais vous pouvez aussi fabriquer les boulettes de riz à la main. Gardez près de vous un bol d'eau tiède additionné d'un peu de vinaigre, pour tremper les mains avant de toucher le riz.

# assortiment de sashimis

## ingrédients

**POUR 2 PERSONNES**

filets d'un maquereau frais
100 ml de vinaigre de riz
3 noix de Saint-Jacques dans leur coquille
150 g de thon pour sashimi, paré
150 g de saumon pour sashimi, paré
55 g de daïkon (long radis blanc japonais), coupé en fines lanières
brins de ciboulette, en garniture
wasabi, sauce de soja japonaise et gingembre en saumure, en accompagnement

## méthode

**1** Mettre les filets de maquereau dans un plat peu profond non métallique, arroser de vinaigre de riz et couvrir de film alimentaire. Mettre au réfrigérateur et laisser mariner 1 heure.

**2** Retirer le maquereau de la marinade, sécher avec du papier absorbant et retirer la peau. Disposer sur une planche à découper, saisir un couteau très tranchant humide à 45° et couper en biais, en tranches de 8 mm d'épaisseur.

**3** Insérer un petit couteau pointu entre les noix Saint-Jacques et leur coquille, faire levier avec un mouvement de torsion pour les détacher et retirer les intestins, le corail et les barbes. Couper en deux dans l'épaisseur.

**4** Mettre les noix de Saint-Jacques dans une terrine, couvrir d'eau bouillante et égoutter immédiatement à l'aide d'une écumoire. Sécher avec du papier absorbant.

**5** Couper le thon et le saumon en rectangles de 8 mm d'épaisseur à l'aide d'un couteau très tranchant humide. Essuyer le couteau entre chaque mouvement.

**6** Disposer le daïkon sur un plat de service, déposer les noix de Saint-Jacques dessus et répartir le poisson autour. Garnir de ciboulette fraîche, ajouter une petite quantité de wasabi

# bar à l'huile pimentée

## ingrédients

**POUR 4 PERSONNES**

55 g de daïkon (long radis blanc japonais), pelé
filets d'un petit bar frais
1 poignée de pousses d'épinard fraîches
2 cuil. à café d'huile pimentée
sauce de soja japonaise, gingembre en saumure et wasabi, en accompagnement

## méthode

**1** Émincer le daïkon à l'aide d'une mandoline. À défaut de mandoline, couper en longues lamelles très fines, et couper chaque lamelle en lanières les plus fines possible. Rincer, égoutter et réserver au réfrigérateur.

**2** Couper les filets de bar en rectangles nets, placer sur une planche à découper, côté peau vers le haut, et couper en biais, en lamelles de 8 mm d'épaisseur à l'aide d'un couteau très tranchant humide. Essuyer le couteau entre chaque mouvement.

**3** Répartir quelques pousses d'épinard sur des assiettes, ajouter le daïkon et garnir de lamelles de bar en les disposant en éventail. Arroser d'huile pimentée et servir accompagné de sauce de soja, de gingembre en saumure et de wasabi.

# salade de thon

## ingrédients

**POUR 4 PERSONNES**

85 g de daïkon (long radis blanc japonais), pelé
55 g de carotte
½ concombre
250 g de steak de thon très frais, sans la peau
2 cuil. à café d'huile d'arachide
2 cuil. à café de graines de sésame blanches, grillées

### sauce au sésame

1 cuil. à soupe de sauce de soja japonaise
2 cuil. à soupe d'huile de sésame
½ cuil. à café de wasabi
1 cuil. à café de vinaigre de riz

## méthode

**1** Mettre les ingrédients de la sauce dans une terrine, mélanger et réserver au réfrigérateur.

**2** Émincer le daïkon et la carotte à l'aide d'une mandoline. À défaut de mandoline, couper en longues lamelles très fines, et couper chaque lamelle en lanières les plus fines possible. Rincer, égoutter et réserver au réfrigérateur. Épépiner le concombre, émincer finement et ajouter au daïkon et à la carotte.

**3** Parer le steak de thon. Dans une poêle, chauffer l'huile jusqu'à ce qu'elle soit presque fumante, ajouter le thon et cuire 30 secondes à 1 minute sur chaque face. Laisser refroidir.

**4** Couper le thon en biais, en lamelles de 8 mm d'épaisseur à l'aide d'un couteau très tranchant humide. Essuyer le couteau entre chaque mouvement.

**5** Répartir les lamelles de thon sur des assiettes et déposer les crudités à côté. Arroser de sauce au sésame et parsemer de graines de sésame grillées.

# sashimis de thon mariné

## ingrédients

**POUR 4 PERSONNES**

400 g de thon pour sashimi
3 cuil. à café de wasabi
4 cuil. à soupe de sauce de soja japonaise
1 cuil. à soupe de ciboulette fraîche hachée, en garniture

## méthode

**1** Parer le thon et couper en lamelles de 1 cm d'épaisseur à l'aide d'un couteau très tranchant humide. Essuyer le couteau entre chaque mouvement.

**2** Mettre le wasabi et la sauce de soja dans une terrine, ajouter le thon et bien enrober. Laisser mariner 5 minutes.

**3** Répartir les lamelles de thon dans 4 assiettes et servir, garni de ciboulette.

# sashimis de saumon au poivre & aux graines de sésame

## ingrédients

**POUR 4 PERSONNES**

55 g de daïkon (long radis blanc japonais), pelé
85 g de graines de sésame blanches
poivre noir
400 g de saumon pour sashimi
2 cuil. à café d'huile d'arachide
4 feuilles de shiso
sauce ponzu (*voir* page 228), en accompagnement

## méthode

**1** Émincer le daïkon à l'aide d'une mandoline. À défaut de mandoline, couper en longues lamelles très fines, et couper chaque lamelle en lanières les plus fines possible. Rincer, égoutter et réserver au réfrigérateur.

**2** Piler les graines de sésame dans un mortier, étaler dans une assiette et saupoudrer de poivre fraîchement moulu.

**3** Couper le saumon en un rectangle net. Dans une poêle, chauffer l'huile jusqu'à ce qu'elle soit presque fumante, ajouter le saumon et saisir 1 minute sur chaque face. Retirer de la poêle.

**4** Passer immédiatement le filet dans l'assiette et couper en lamelles de 8 mm d'épaisseur à l'aide d'un couteau très tranchant humide. Essuyer le couteau entre chaque mouvement.

**5** Répartir les lamelles dans 4 assiettes, ajouter les feuilles de shiso et le daïkon. Servir accompagné de sauce ponzu.

# oshi-sushi au thon & au concombre

## ingrédients

**POUR 10 SUSHIS**

175 g de thon pour sashimi, paré
1 concombre
½ quantité de riz (*voir* page 8)
wasabi
sauce de soja japonaise, gingembre en saumure et wasabi, en accompagnement

## méthode

**1** Couper le thon en lamelles de 5 mm d'épaisseur à l'aide d'un couteau très tranchant humide. Réserver au réfrigérateur.

**2** Couper le concombre en deux dans la longueur et réserver une des moitiés pour une utilisation ultérieure. Couper la moitié restante de sorte qu'elle ait la même longueur que le moule à sushi. Épépiner à l'aide d'une petite cuillère et couper en rubans à l'aide d'une mandoline ou d'un économe.

**3** Humidifier le moule, recouvrir entièrement le fond de lamelles de thon et ajouter un peu de wasabi. Répartir un quart du riz sur le tout, positionner le couvercle et presser.

**4** Recouvrir entièrement le riz de rubans de concombre, répartir un quart du riz sur le tout et presser de nouveau.

**5** Retirer les parois du moule en maintenant le couvercle fermement appuyé, retourner le tout et transférer sur une planche à découper de sorte que le poisson soit au-dessus. Couper en 5 tranches à l'aide d'un couteau tranchant humide. Répéter l'opération avec les ingrédients restants de façon à obtenir 10 pièces au total. Servir accompagné de sauce de soja, de wasabi et de gingembre en saumure.

# nigiri-sushi au saumon fumé

## ingrédients

**POUR 10 SUSHIS**

1 ou 2 tranches de saumon fumé
jus d'un quart de citron
¼ de quantité de riz (*voir* page 8)
wasabi
zeste de citron, en garniture
sauce de soja japonaise, gingembre en saumure et wasabi, en accompagnement

## méthode

**1** Couper les tranches de saumon en carrés de 2,5 cm et arroser de jus de citron.

**2** Découper un carré de film alimentaire de 10 x 10 cm et placer un carré de saumon au centre.

**3** Prélever 1½ cuillerée à café de riz, façonner en boule et disposer sur le carré de saumon.

**4** Enfermer le tout dans le film alimentaire de façon à obtenir une petite balle. Répéter l'opération avec les ingrédients restants jusqu'à obtention de 10 pièces.

**5** Retirer le film alimentaire juste avant de servir. Déposer un peu de wasabi et quelques lanières de zeste de citron sur chaque balle et servir accompagné de sauce de soja, de gingembre en saumure et de wasabi.

# oshi-sushi au maquereau mariné

## ingrédients

**POUR 10 SUSHIS**

2 filets de maquereau, de 140 g chacun
3 cuil. à soupe de gros sel
250 ml de vinaigre de riz
wasabi
½ quantité de riz (*voir* page 8)
sauce de soja japonaise et gingembre en saumure, en accompagnement

## méthode

**1** Enrober la chair et la peau du poisson de gros sel, mettre au réfrigérateur et laisser mariner 2 heures.

**2** Rincer les filets de maquereau à l'eau courante, sécher avec du papier absorbant et mettre côte à côte dans une terrine peu profonde. Arroser de vinaigre de riz, mettre au réfrigérateur et laisser mariner 1 heure.

**3** Sécher les filets et retirer la partie supérieure de la peau en conservant la peau argentée intacte. Ôter les arêtes à l'aide d'une pince à épiler et couper dans l'épaisseur de façon à égaliser la surface.

**4** Humidifier un moule à sushi, recouvrir entièrement le fond de poisson et ajouter un peu de wasabi. Répartir la moitié du riz sur le tout, positionner le couvercle et presser.

**5** Retirer les parois du moule en maintenant le couvercle fermement appuyé, retourner le tout et transférer sur une planche à découper de sorte que le poisson soit au-dessus. Couper en 5 tranches à l'aide d'un couteau tranchant humide. Répéter l'opération avec les ingrédients restants de façon à obtenir 10 pièces au total. Servir accompagné de sauce de soja, de wasabi et de gingembre en saumure.

# sushis au vivaneau

## ingrédients

**POUR 10 SUSHIS**

175 g de filets de vivaneau
½ quantité de riz (*voir* page 8)
wasabi
sauce de soja japonaise et gingembre en saumure, en accompagnement

## méthode

**1** Mettre le poisson sur une planche à découper, saisir un couteau très tranchant humide à 45° et couper en biais, en tranches de 5 mm d'épaisseur, de 7,5 cm de longueur et de 3 cm de largeur. Réserver au réfrigérateur.

**2** Humidifier un moule à sushi et ajouter la moitié du riz en le répartissant dans les coins sans l'écraser. Positionner le couvercle et presser. Retirer les parois du moule en maintenant le couvercle fermement appuyé, transférer sur une planche à découper et couper en cinq à l'aide d'un couteau tranchant humide. Répéter l'opération avec le restant de façon à obtenir 10 pièces.

**3** À défaut de moule, prélever une grosse noix de riz et façonner en ovale dans la paume de la main. L'ovale doit mesurer 5 cm de longueur et 2 cm de largeur. Répéter l'opération de façon à obtenir 10 pièces.

**4** Napper chaque rectangle ou ovale d'un peu de wasabi, garnir d'une tranche de vivaneau et presser légèrement les extrémités de façon à ce que le poisson adhère au riz. Servir accompagné de sauce de soja, de gingembre en saumure et de wasabi.

# sushis au saumon fumé & au concombre

## ingrédients

**POUR 10 SUSHIS**

200 g de saumon fumé, coupé en lanières
½ concombre, pelé et coupé en fines lanières
2 cuil. à soupe de mayonnaise japonaise
½ quantité de riz (*voir* page 8)
2 citrons, coupés en rondelles et 1 poignée de brins de menthe fraîche, en garniture
sauce de soja japonaise, gingembre en saumure et wasabi, en accompagnement

## méthode

**1** Humidifier un moule à sushi, recouvrir entièrement le fond de lanières de saumon et de concombre en biais et napper d'une cuillerée à soupe de mayonnaise. Répartir la moitié du riz sur le tout, positionner le couvercle et presser.

**2** Retirer les parois du moule à sushi en maintenant le couvercle fermement appuyé, retourner le tout et transférer sur une planche à découper de sorte que le saumon et le concombre soient au-dessus. Couper en 5 tranches à l'aide d'un couteau tranchant humide. Répéter l'opération avec les ingrédients restants de façon à obtenir 10 pièces au total.

**3** Répartir sur un plat de service, garnir de rondelles de citron et de brins de menthe et servir accompagné de sauce de soja, de gingembre en saumure et de wasabi.

# oshi-sushi à l'anguille laquée

## ingrédients

**POUR 10 SUSHIS**

350 g d'anguille laquée prête à l'emploi
½ quantité de riz (*voir* page 8)
sauce de soja japonaise, gingembre en saumure et wasabi, en accompagnement

## méthode

**1** Humidifier un moule à sushi.

**2** Couper l'anguille en lanières dans la longueur, recouvrir entièrement le fond du moule et garnir de la moitié du riz. Positionner le couvercle et presser.

**3** Retirer les parois du moule en maintenant le couvercle fermement appuyé, retourner le tout et transférer sur une planche à découper de sorte que le poisson soit au-dessus. Couper en 5 tranches à l'aide d'un couteau tranchant humide. Répéter l'opération avec les ingrédients restants de façon à obtenir 10 pièces au total. Servir accompagné de sauce de soja, de wasabi et de gingembre en saumure.

# oshi-sushi au thon teriyaki & aux haricots verts

## ingrédients

**POUR 10 SUSHIS**

200 g de filet de thon, coupé en fines tranches
2 cuil. à soupe de sauce teriyaki (*voir* page 180 ou utiliser une sauce prête à l'emploi)
1 cuil. à soupe d'huile
10 haricots verts, éboutés et coupés en deux
2 cuil. à soupe de mayonnaise japonaise
1 cuil. à café de graines de sésame grillées
½ quantité de riz (*voir* page 8)
sauce de soja japonaise, gingembre en saumure et wasabi, en accompagnement

## méthode

**1** Enrober les tranches de thon de sauce teriyaki. Dans une poêle, chauffer l'huile, ajouter le thon et cuire 1 minute sur chaque face, jusqu'à ce qu'il soit cuit. Couper en lanières.

**2** Blanchir les haricots verts 1 minutes à l'eau bouillante, plonger dans de l'eau glacée pour stopper la cuisson et égoutter.

**3** Humidifier un moule à sushi, répartir le thon dans le fond en deux bandes parallèles et ajouter une ligne de haricots verts entre les deux bandes. Napper d'une cuillerée à soupe de mayonnaise et garnir de la moitié du riz. Positionner le couvercle et presser.

**4** Retirer les parois du moule en maintenant le couvercle fermement appuyé, retourner le tout et transférer sur une planche à découper de sorte que le thon et les haricots verts soient au-dessus. Couper en 5 tranches à l'aide d'un couteau tranchant humide. Répéter l'opération avec les ingrédients restants de façon à obtenir 10 pièces au total.

**5** Parsemer de graines de sésame grillées et servir accompagné de sauce de soja, de gingembre en saumure et de wasabi.

# oshi-sushi au flétan & aux poivrons jaunes

## ingrédients

**POUR 10 SUSHIS**

2 poivrons jaunes ou orange, coupés en quartier et épépinés
½ feuille de nori grillée
175 g de flétan pour sashimi
½ quantité de riz (*voir* page 8)
1 piment rouge, coupé en rondelles, en garniture

## méthode

**1** Passer les poivrons au gril préchauffé, côté peau vers le haut, jusqu'à ce que la peau ait noircie. Transférer dans un sac plastique et laisser refroidir. Peler et couper en lanières. Couper la demi-feuille de nori en 10 lanières.

**2** Mettre le poisson sur une planche à découper, saisir un couteau très tranchant humide à 45° et couper en biais, en tranches de 5 mm d'épaisseur, de 7,5 cm de longueur et de 3 cm de largeur. Réserver au réfrigérateur.

**3** Humidifier un moule à sushi et ajouter la moitié du riz en le répartissant dans les coins sans l'écraser. Positionner le couvercle et presser. Retirer les parois du moule en maintenant le couvercle fermement appuyé, transférer sur une planche à découper et couper en cinq à l'aide d'un couteau tranchant humide. Répéter l'opération avec les ingrédients restants de façon à obtenir 10 pièces.

**4** Placer une lanière de poivron sur chaque morceau de riz, ajouter une tranche de flétan et presser légèrement les extrémités de façon à ce que le poisson adhère au riz.

**5** Entourer chaque sushi d'une lanière de nori en repliant les extrémités dessous, garnir de piment et servir.

# oshi-sushi au saumon & à l'avocat

## ingrédients

**POUR 8 À 10 SUSHIS**

2 cuil. à soupe de mayonnaise japonaise
2 cuil. à café de zeste de citron
150 g de saumon fumé, coupé en lamelles
1 gros avocat mûr, coupé en lamelles
½ quantité de riz (*voir* page 8)
gingembre en saumure et wasabi, en accompagnement

## méthode

**1** Humidifier un moule à sushi. Incorporer le zeste de citron à la mayonnaise.

**2** Recouvrir entièrement le fond du moule de lamelles de saumon et d'avocat en biais, et napper d'une cuillerée à soupe de mayonnaise au citron. Répartir la moitié du riz sur le tout, positionner le couvercle et presser.

**3** Retirer les parois du moule en maintenant le couvercle fermement appuyé, retourner le tout et transférer sur une planche à découper de sorte que le saumon et l'avocat soient au-dessus. Couper en 5 tranches à l'aide d'un couteau tranchant humide. Répéter l'opération avec les ingrédients restants de façon à obtenir 10 pièces au total.

**4** Servir accompagné de wasabi et de gingembre en saumure.

# sushis aux crevettes

## ingrédients

**POUR 10 SUSHIS**

10 grosses crevettes crues, têtes retirées
1 cuil. à soupe de saké
½ cuil. à café de sel
1 cuil. à soupe de vinaigre de riz
½ quantité de riz (*voir* page 8)
wasabi
sauce de soja japonaise et gingembre en saumure, en accompagnement

## méthode

**1** Insérer une fine brochette en bois dans les crevettes de sorte qu'elles ne se recourbent pas à la cuisson. Verser 2,5 cm d'eau dans une casserole, ajouter le saké et le sel, et porter à ébullition. Ajouter les crevettes et laisser mijoter 2 minutes, jusqu'à ce qu'elles soient roses. Égoutter et laisser refroidir.

**2** Décortiquer les crevettes, inciser le dos et retirer l'intestin. Ouvrir délicatement et aplatir. Arroser de vinaigre de riz et réserver au réfrigérateur.

**3** Humidifier un moule à sushi et ajouter la moitié du riz en le répartissant dans les coins sans l'écraser. Positionner le couvercle et presser. Retirer les parois du moule en maintenant le couvercle fermement appuyé, transférer sur une planche à découper et couper en cinq à l'aide d'un couteau tranchant humide. Répéter l'opération de façon à obtenir 10 pièces.

**4** À défaut de moule, prélever une grosse noix de riz et façonner en ovale dans la paume de la main. L'ovale doit mesurer 5 cm de longueur et 2 cm de largeur. Répéter l'opération de façon à obtenir 10 pièces.

**5** Napper chaque rectangle ou ovale d'un peu de wasabi, garnir d'une crevette et servir accompagné de sauce de soja, de gingembre en saumure et de wasabi.

# sushis aux noix de Saint-Jacques

## ingrédients

**POUR 10 SUSHIS**

½ quantité de riz (*voir* page 8)
1 à 2 cuil. à café d'huile
3 ou 4 noix de Saint-Jacques fraîches
wasabi
sauce de soja japonaise et gingembre en saumure, en accompagnement

## méthode

**1** Humidifier un moule à sushi et ajouter la moitié du riz en le répartissant dans les coins sans l'écraser. Positionner le couvercle et presser. Retirer les parois du moule en maintenant le couvercle fermement appuyé, transférer sur une planche à découper et couper en cinq à l'aide d'un couteau tranchant humide. Répéter l'opération avec les ingrédients restants de façon à obtenir 10 pièces.

**2** À défaut de moule, prélever une grosse noix de riz et façonner en ovale dans la paume de la main. L'ovale doit faire 5 cm de longueur et 2 cm de largeur. Répéter l'opération de façon à obtenir 10 pièces.

**3** Dans une poêle, chauffer l'huile en l'étalant uniformément dans la poêle, retirer l'excédent avec du papier absorbant et chauffer à feu vif. Ajouter les noix de Saint-Jacques, saisir 30 secondes sur chaque face, jusqu'à ce qu'elles soient dorées. Couper chaque noix en fines lamelles et laisser refroidir.

**4** Napper chaque rectangle ou ovale de riz d'un peu de wasabi, garnir de lamelles de noix de Saint-Jacques et servir accompagné de sauce de soja, de gingembre en saumure et de wasabi.

# nigiri-sushi aux crevettes & aux œufs de poisson

## ingrédients

**POUR 10 SUSHIS**

10 crevettes cuites
¼ de quantité de riz (*voir* page 8)
20 g d'œufs de poisson volant
sauce de soja japonaise, gingembre en saumure et wasabi, en accompagnement

## méthode

**1** Découper un carré de film alimentaire de 10 x 10 cm et placer une crevette au centre.

**2** Prélever 1½ cuillerée à café de riz, façonner en boule et disposer sur la crevette.

**3** Enfermer le tout dans le film alimentaire de façon à obtenir une petite balle. Répéter l'opération avec les ingrédients restants jusqu'à obtention de 10 pièces.

**4** Retirer le film alimentaire juste avant de servir. Déposer un peu d'œufs de poisson sur chaque crevette et servir accompagné de sauce de soja, de gingembre en saumure et de wasabi.

# oshi-sushi californiens

## ingrédients

**POUR 10 SUSHIS**

1 crabe cuit et préparé
½ avocat, dénoyauté, pelé et coupé en lamelles
⅓ de concombre, pelé et coupé en fines rondelles
2 cuil. à soupe de mayonnaise japonaise
½ quantité de riz (*voir* page 8)
1 cuil. à café de graines de sésame, grillées
gingembre en saumure, rondelles de citron et brins d'aneth, en garniture
wasabi, en accompagnement

## méthode

**1** Retirer la chair de crabe de la carapace.

**2** Humidifier un moule à sushi. Recouvrir entièrement le fond du moule de chair de crabe, de lamelles d'avocat et de rondelles de concombre, napper d'une cuillerée à soupe de mayonnaise et parsemer de graines de sésame. Répartir la moitié du riz sur le tout, positionner le couvercle et presser.

**3** Retirer les parois du moule en maintenant le couvercle fermement appuyé, retourner le tout et transférer sur une planche à découper de sorte que le crabe, l'avocat et le concombre soient au-dessus. Couper en 5 tranches à l'aide d'un couteau tranchant humide. Répéter l'opération avec les ingrédients restants de façon à obtenir 10 pièces au total.

**4** Garnir les sushis de gingembre en saumure, répartir sur un plat de service et ajouter l'aneth et les rondelles de citron. Servir accompagné de wasabi et de gingembre en saumure supplémentaire.

# oshi-sushi au jambon & aux œufs

## ingrédients

**POUR 10 SUSHIS**

2 ou 3 très fines tranches de jambon
1 cuil. à café de moutarde forte
½ quantité de riz (*voir* page 8)

### omelette japonaise

2 œufs
½ cuil. à café de sucre
1 cuil. à café de mirin
½ cuil. à café de sauce de soja japonaise
⅛ de cuil. à café de sel
2 cuil. à café d'huile

## méthode

**1** Pour l'omelette, battre les œufs avec le sucre, le mirin, la sauce de soja et le sel, en veillant à ne pas incorporer trop d'air. Filtrer.

**2** Dans une poêle, chauffer 1 cuillerée à café d'huile, verser un tiers du mélange précédent et cuire à feu moyen jusqu'à ce que l'omelette ait presque pris. Retourner et cuire l'autre face. Laisser refroidir l'omelette sur du papier sulfurisé.

**3** Humidifier un moule à sushi, recouvrir entièrement le fond de tranches de jambon en recoupant à la taille du moule et ajouter ½ cuillerée à café de moutarde. Répartir un quart du riz sur le tout, positionner le couvercle et presser.

**4** Recouvrir entièrement le riz d'omelette en recoupant à la taille du moule, répartir un quart du riz sur le tout et presser de nouveau.

**5** Retirer les parois du moule en maintenant le couvercle fermement appuyé, retourner le tout et transférer sur une planche à découper de sorte que le jambon soit au-dessus. Couper en 5 tranches à l'aide d'un couteau tranchant humide. Répéter l'opération avec les ingrédients restants de façon à obtenir 10 pièces au total.

# nigiri-sushi au rôti de bœuf et au wasabi

## ingrédients

**POUR 10 SUSHIS**

1 ou 2 tranches de rôti de bœuf cru
wasabi
¼ de quantité de riz (*voir* page 8)
1 cuil. à café d'oignon vert haché, partie verte seulement, en garniture
sauce de soja japonaise et gingembre en saumure, en accompagnement

## méthode

**1** Couper le rôti en 10 carrés de 2,5 cm de côté.

**2** Découper un carré de film alimentaire de 10 x 10 cm, placer un morceau de bœuf au centre et napper d'un peu de wasabi.

**3** Prélever 1½ cuillerée à café de riz, façonner en boule et disposer sur le bœuf.

**4** Enfermer le tout dans le film alimentaire de façon à obtenir une petite balle. Répéter l'opération avec les ingrédients restants jusqu'à obtention de 10 pièces.

**5** Retirer le film alimentaire juste avant de servir. Garnir d'oignon vert haché et servir accompagné de sauce de soja, de gingembre en saumure et de wasabi.

# oshi-sushi méditerranéens

## ingrédients

**POUR 10 SUSHIS**

2 poivrons rouges, coupés en quartiers et épépinés
100 g de mozzarella, coupée en fines tranches
1 poignée de petites feuilles de basilic
4 tomates séchées au soleil dans l'huile, égouttées et coupées en lanières
huile, pour graisser
½ quantité de riz (*voir* page 8)

## méthode

**1** Passer les poivrons au gril préchauffé, côté peau vers le haut, jusqu'à ce que la peau ait noircie. Transférer dans un sac plastique et laisser refroidir. Peler et couper la chair en lanières.

**2** Humidifier un moule à sushi, répartir les poivrons et la mozzarella dans le fond en deux bandes parallèles et ajouter le basilic et les tomates séchées dans les interstices. Napper d'huile et garnir de la moitié du riz. Positionner le couvercle et presser.

**3** Retirer les parois du moule en maintenant le couvercle fermement appuyé, retourner le tout et transférer sur une planche à découper de sorte que le poivron et la mozzarella soient au-dessus. Couper en 5 tranches à l'aide d'un couteau tranchant humide. Répéter l'opération avec les ingrédients restants de façon à obtenir 10 pièces au total.

# sushis au tofu & au gingembre

## ingrédients

**POUR 10 SUSHIS**

½ bloc de tofu ferme
½ feuille de nori grillée
½ quantité de riz (*voir* page 8)
10 brins de ciboulette, éboutés
1 cuil. à café de gingembre ciselé, pressé pour exprimer l'excédent d'eau

## méthode

**1** Envelopper le tofu dans du papier absorbant et mettre sur une planche à découper. Couvrir avec une autre planche à découper et laisser reposer 30 minutes de façon à exprimer l'excédent d'eau.

**2** Couper le tofu en 10 tranches de 5 mm d'épaisseur. Réserver le tofu restant pour une utilisation ultérieure. Couper la demi-feuille de nori en 10 lanières de 1 cm de largeur et de 7,5 cm de longueur.

**3** Humidifier un moule à sushi et ajouter la moitié du riz en le répartissant dans les coins sans l'écraser. Positionner le couvercle et presser. Retirer les parois du moule en maintenant le couvercle fermement appuyé, transférer sur une planche à découper et couper en cinq à l'aide d'un couteau tranchant humide. Répéter l'opération de façon à obtenir 10 pièces.

**4** À défaut de moule, prélever une grosse noix de riz et façonner, dans la paume de la main, un ovale de 5 cm x 2 cm. Répéter l'opération de façon à obtenir 10 pièces.

**5** Répartir les tranches de tofu sur les morceaux de riz, entourer d'une lanière de nori en repliant les extrémités dessous et fixer avec un brin de ciboulette. Servir garni de gingembre ciselé.

# sushis à l'omelette sucrée

## ingrédients

**POUR 10 SUSHIS**

½ feuille de nori grillée
½ quantité de riz (*voir* page 8)
sauce de soja japonaise, gingembre en saumure et wasabi, en accompagnement

### omelette roulée

6 œufs
1 cuil. à café de sucre
2 cuil. à café de mirin
1 cuil. à café de sauce de soja japonaise
¼ de cuil. à café de sel
1 à 2 cuil. à café d'huile

## méthode

**1** Pour l'omelette, battre les œufs avec le sucre, le mirin, la sauce de soja et le sel, en veillant à ne pas incorporer trop d'air. Filtrer.

**2** Chauffer une poêle à feu moyen, graisser avec du papier absorbant imbibé d'huile et ajouter le tiers du mélange précédent. Cuire jusqu'à ce que l'omelette ait pris, replier en quatre dans le même sens à l'aide d'une spatule en bois.

**3** Cuire une deuxième omelette et replier en quatre dans le même sens en ayant disposé préalablement la première omelette dans la poêle. Répéter l'opération une fois de façon à obtenir un rouleau très épais. Laisser refroidir et détailler en 10 rondelles.

**4** Couper la demi-feuille de nori en lanières de 1 cm de largeur et de 7,5 cm de longueur.

**5** Façonner des rectangles ou des ovales de riz (*voir* page 122) et mettre sur une planche à découper.

**6** Répartir les rondelles d'omelette sur les morceaux de riz, entourer d'une lanière de nori en repliant les extrémités dessous et servir accompagné de sauce de soja, de gingembre en saumure et de wasabi.

# oshi-sushi aux asperges & aux poivrons

## ingrédients

**POUR 10 SUSHIS**

2 poivrons rouges, coupés en quartiers et épépinés
30 pointes d'asperges
½ feuille de nori grillée
½ quantité de riz (*voir* page 8)
sauce de soja japonaise, gingembre en saumure et wasabi, en accompagnement

## méthode

**1** Passer les poivrons au gril préchauffé, côté peau vers le haut, jusqu'à ce que la peau ait noirci. Transférer dans un sac plastique et laisser refroidir. Peler et couper en lanières. Blanchir les asperges 1 à 2 minutes à l'eau bouillante et plonger dans de l'eau glacée pour stopper la cuisson.

**2** Couper la demi-feuille de nori en lanières de 1 cm de largeur et de 7,5 cm de longueur.

**3** Humidifier un moule à sushi, recouvrir entièrement le fond de lanières de poivron et répartir la moitié du riz sur le tout. Positionner le couvercle et presser.

**4** Retirer les parois du moule en maintenant le couvercle fermement appuyé, retourner le tout et transférer sur une planche à découper de sorte que le poivron soit au-dessus. Couper en 5 tranches à l'aide d'un couteau tranchant humide. Répéter l'opération avec les ingrédients restants de façon à obtenir 10 pièces au total.

**5** Placer 3 pointes d'asperges sur chaque morceau de riz, entourer d'une lanière de nori en repliant les extrémités dessous et servir accompagné de sauce de soja, de gingembre en saumure et de wasabi.

# oshi-sushi aux carottes

## ingrédients

**POUR 10 SUSHIS**

½ quantité de riz (*voir* page 8)
1 cuil. à café de gingembre ciselé, pressé pour exprimer l'excédent d'eau
2 cuil. à café d'oignon vert haché, partie verte seulement, en garniture
sauce de soja japonaise, gingembre en saumure et wasabi, en accompagnement

### carottes épicées

1 grosse carotte, pelée et détaillée en fines rondelles
125 ml de dashi (*voir* page 194 ou utiliser une préparation instantanée en granules)
2 cuil. à café de sucre
2 cuil. à café de sauce de soja japonaise

## méthode

**1** Pour les carottes épicées, mettre le dashi, le sucre et la sauce de soja dans une petite casserole, ajouter les rondelles de carottes et cuire 5 à 6 minutes à feu doux, jusqu'à ce qu'elles soient *al dente*. Égoutter et laisser refroidir.

**2** Humidifier un moule à sushi, recouvrir entièrement le fond de rondelles de carotte et répartir la moitié du riz sur le tout. Positionner le couvercle et presser.

**3** Retirer les parois du moule en maintenant le couvercle fermement appuyé, retourner le tout et transférer sur une planche à découper de sorte que les carottes soient au-dessus. Couper en 5 tranches à l'aide d'un couteau tranchant humide. Répéter l'opération avec les ingrédients restants de façon à obtenir 10 pièces au total.

**4** Garnir chaque sushi de gingembre et d'oignon vert, et servir accompagné de sauce de soja, de gingembre en saumure et de wasabi.

# sushis aux champignons shiitake

## ingrédients

**POUR 10 SUSHIS**

1 cuil. à soupe de sauce de soja japonaise
10 champignons shiitake, tiges retirées
½ feuille de nori grillée
½ quantité de riz (*voir* page 8)
sauce de soja japonaise, gingembre en saumure et wasabi, en accompagnement

## méthode

**1** Enduire les champignons de sauce de soja et passer au gril 1 à 2 minutes de chaque côté, jusqu'à ce qu'ils soient tendres.

**2** Couper la demi-feuille de nori en lanières de 1 cm de largeur et de 7,5 cm de longueur.

**3** Humidifier un moule à sushi et ajouter la moitié du riz en le répartissant dans les coins sans l'écraser. Positionner le couvercle et presser. Retirer les parois du moule en maintenant le couvercle fermement appuyé, transférer sur une planche à découper et couper en cinq à l'aide d'un couteau tranchant humide. Répéter l'opération avec les ingrédients restants de façon à obtenir 10 pièces.

**4** À défaut de moule, prélever une grosse noix de riz et façonner en ovale dans la paume de la main. L'ovale doit faire 5 cm de longueur et 2 cm de largeur. Répéter l'opération de façon à obtenir 10 pièces.

**5** Placer un champignon sur chaque morceau de riz, entourer d'une lanière de nori en repliant les extrémités dessous et servir accompagné de sauce de soja, de gingembre en saumure et de wasabi.

# sushis à l'avocat & à la tapenade

## ingrédients

**POUR 10 SUSHIS**

½ feuille de nori grillée
½ quantité de riz (*voir* page 8)
1 avocat, dénoyauté, pelé et coupé en fines lamelles
2 cuil. à café de tapenade
gingembre en saumure et wasabi, en accompagnement

## méthode

**1** Couper la demi-feuille de nori en lanières de 1 cm de largeur et de 7,5 cm de longueur.

**2** Humidifier un moule à sushi et ajouter la moitié du riz en le répartissant dans les coins sans l'écraser. Positionner le couvercle et presser. Retirer les parois du moule en maintenant le couvercle fermement appuyé, transférer sur une planche à découper et couper en cinq à l'aide d'un couteau tranchant humide. Répéter l'opération avec les ingrédients restant de façon à obtenir 10 pièces.

**3** À défaut de moule, prélever une grosse noix de riz et façonner en ovale dans la paume de la main. L'ovale doit faire 5 cm de longueur et 2 cm de largeur. Répéter l'opération de façon à obtenir 10 pièces.

**4** Placer deux lamelles d'avocat sur chaque morceau de riz, entourer d'une lanière de nori en repliant les extrémités dessous et napper le centre de chaque lanière de tapenade. Servir accompagné de gingembre en saumure et de wasabi.

# sushis aux aubergines & à la sauce de soja

## ingrédients

**POUR 10 SUSHIS**

2 aubergines japonaises
huile d'olive, pour graisser
½ quantité de riz (*voir* page 8)
2 cuil. à café de graines de sésame blanches, grillées

### sauce de soja sucrée

125 ml de sauce de soja japonaise
1½ cuil. à soupe de sucre
125 ml de mirin

## méthode

**1** Couper les aubergines en lanières de 5 mm d'épaisseur et recouper en morceaux de 3 cm de largeur et de 7,5 cm de longueur. Enduire d'huile d'olive et passer au gril 6 à 8 minutes en retournant une fois, jusqu'à ce qu'elles soient tendres.

**2** Mettre les ingrédients de la sauce dans une petite casserole, mélanger et porter à ébullition. Cuire jusqu'à ce que la sauce ait réduit de moitié et laisser refroidir.

**3** Humidifier un moule à sushi et ajouter la moitié du riz en le répartissant dans les coins sans l'écraser. Positionner le couvercle et presser. Retirer les parois du moule en maintenant le couvercle fermement appuyé, transférer sur une planche à découper et couper en cinq à l'aide d'un couteau tranchant humide. Répéter l'opération avec les ingrédients restant de façon à obtenir 10 pièces.

**4** À défaut de moule, prélever une grosse noix de riz et façonner, dans la paume de la main, un ovale de 5 cm x 2 cm. Répéter l'opération de façon à obtenir 10 pièces.

**5** Placer un morceau d'aubergine sur chaque morceau de riz, parsemer de quelques graines de sésame et servir accompagné de sauce.

# chirashi sushi

Les chirashi sushi, version japonaise de la salade de riz, sont présentés dans un bol. Ils constituent un bon plat pour le déjeuner. Les chirashi sushi sont souvent appelés « sushis de la ménagère », car ils sont très simples à confectionner chez soi. La base est fournie par un riz fraîchement cuit, qui peut être mélangé à divers ingrédients comme des champignons, du gingembre ou des graines de sésame. Les principaux éléments sont souvent présentés au-dessus du riz, mais vous pouvez aussi les mélanger à la base. Dans ce cas, le sushi porte le nom de « gamoko ».

Pour tous les sushis, la présentation est essentielle.Vous pouvez disposer tous les ingrédients dans un large saladier, selon le principe du buffet, en mettant le chirashi dans un bol à part. Remplissez le saladier d'une garniture décorative jusqu'à hauteur des deux tiers environ, et placez les sushis par dessus. Vous pouvez y joindre du gingembre en saumure et du wasabi en posant le bol au centre du saladier, ou répartir de petites quantités dans des bols individuels, en y adjoignant un bol de sauce de soja.

Les chirashi sushi sont les plus simples à confectionner. Toutes les garnitures sont permises, tant qu'elles se marient avec le riz. Les recettes qui suivent vous donneront de bonnes idées de départ, mais n'hésitez pas à effectuer vos propres mélanges !

# chirashi sushi de saumon

## ingrédients

**POUR 4 PERSONNES**

8 grosses crevettes crues, têtes retirées
sel
1 cuil. à soupe de saké
1 cuil. à soupe de vinaigre de riz
250 g de saumon pour sashimi
1 morceau de kombu de 7,5 cm, coupé en lanières
jus d'un citron
115 g de pois mange-tout, éboutés
1 quantité de riz (*voir* page 8)
55 g de racine de lotus, émincé
4 cuil. à soupe d'œufs de saumon
4 feuilles de shiso, en garniture
sauce de soja japonaise, gingembre en saumure et wasabi, en garniture

## méthode

**1** Insérer une fine brochette en bois dans les crevettes de sorte qu'elles ne se recourbent pas à la cuisson. Verser 2,5 cm d'eau dans une casserole et ajouter un peu de sel et le saké. Porter à ébullition, ajouter les crevettes et laisser mijoter 2 minutes, jusqu'à ce qu'elles soient roses. Égoutter et laisser refroidir.

**2** Décortiquer les crevettes, inciser le dos et retirer l'intestin. Ouvrir délicatement et aplatir. Arroser de vinaigre de riz et réserver au réfrigérateur.

**3** À l'aide d'un couteau très tranchant humide, couper le saumon en lanières de 8 mm d'épaisseur. Essuyer le couteau avec un torchon mouillé entre chaque mouvement. Mettre dans une terrine, ajouter le kombu et le jus de citron, et laisser reposer 15 minutes, en remuant une fois.

**4** Cuire les pois mange-tout 1 minute à l'eau bouillante, plonger dans de l'eau glacée et égoutter. Couper en lanières.

**5** Répartir le riz dans 4 bols, ajouter le saumon, les crevettes, les pois mange-tout, la racine de lotus et les œufs de saumon. Garnir de feuilles de shiso et servir accompagné de sauce de soja, de gingembre en saumure et de wasabi.

# chirashi sushi de maquereau fumé

## ingrédients

**POUR 4 PERSONNES**

8 pois mange-tout
1 morceau de daïkon de 5 cm
1 quantité de riz (*voir* page 8)
jus et zeste d'un citron
2 oignons verts, finement hachés
2 maquereaux fumés, pelés et émincés en biais
½ concombre, pelé et coupé en fines rondelles
1 feuille de nori grillée, coupée en fines lanières
4 cuil. à soupe de gingembre en saumure
2 cuil. à café de wasabi

## méthode

**1** Cuire les pois mange-tout 1 minute à l'eau bouillante, égoutter et laisser refroidir.

**2** Émincer le daïkon à l'aide d'une mandoline. À défaut de mandoline, couper en longues lamelles très fines, et couper chaque lamelle en lanières les plus fines possible.

**3** Mélanger le riz, le zeste de citron et le jus de citron.

**4** Répartir le riz dans 4 bols en bois ou en céramique de sorte qu'ils soient garnis jusqu'à 2 cm du bord. Parsemer d'oignons verts et ajouter le maquereau, le concombre, les pois mange-tout et le daïkon sur le riz. Garnir de gingembre en saumure, de lanières de nori grillées et de wasabi.

# chirashi sushi de thon mariné

## ingrédients

**POUR 4 PERSONNES**

350 g de thon pour sashimi
jus de 2 citrons
1 cuil. à soupe de sauce de soja
1 quantité de riz (*voir* page 8)
4 cuil. à soupe de ciboulette finement ciselée
4 cuil. à soupe de gingembre en saumure
2 cuil. à café de wasabi
8 feuilles de shiso, en garniture
4 cuil. à café de graines de sésame blanches, grillées

## méthode

**1** Mettre le thon dans un bol, ajouter le jus de citron et la sauce de soja, et mélanger. Mettre au réfrigérateur et laisser mariner 30 minutes.

**2** Retirer le thon de la marinade. Couper en lamelles de 8 mm d'épaisseur à l'aide d'un couteau très tranchant mouillé. Essuyer le couteau entre chaque mouvement.

**3** Répartir le riz dans 4 bols, disposer le thon sur le riz et parsemer de ciboulette. Ajouter 1 cuillerée à soupe de gingembre en saumure et ½ cuillerée à café de wasabi dans chaque bol, garnir de feuilles de shiso et parsemer de graines de sésame.

# chirashi sushi de crabe à la mode thaïe

## ingrédients

**POUR 4 PERSONNES**

175 g de chair de crabe cuite
jus de 2 citrons verts, plus 4 rondelles fines pour garnir
2 gros piments rouges, épépinés et finement hachés
115 g de petits pois frais écossés
sel
1 quantité de riz (*voir* page 8)
2 cuil. à soupe de coriandre fraîche hachée
1 feuille de nori grillée, coupée en fines lanières

## méthode

**1** Mettre la chair de crabe dans un bol, ajouter le jus de citron vert et incorporer les piments.

**2** Cuire les petits pois 2 minutes à l'eau bouillante, jusqu'à ce qu'ils soient juste tendres. Plonger dans de l'eau glacée de façon à stopper la cuisson et égoutter.

**3** Incorporer les petits pois au riz et répartir dans 4 bols.

**4** Garnir de chair de crabe, parsemer de coriandre hachée et ajouter des lanières de nori. Servir décoré d'une rondelle de citron vert.

# chirashi sushi de crevettes, de crabe & d'avocat

## ingrédients

**POUR 4 PERSONNES**

6 grosses crevettes crues, décortiquées et déveinées
1 cuil. à soupe d'huile
1 crabe, cuit
1 quantité de riz (*voir* page 8)
jus et zeste d'un citron
1 avocat mûr, coupé en fines tranches
½ concombre, pelé et coupé en fines tranches
sauce de soja japonaise, gingembre en saumure et wasabi, en accompagnement

## méthode

**1** Dans une poêle, chauffer l'huile, ajouter les crevettes et faire revenir 2 minutes de chaque côté. Laisser refroidir et couper en deux dans la longueur. Retirer la chair du crabe.

**2** Mélanger le riz, le zeste et le jus de citron, et répartir dans 4 bols en bois ou en céramique de sorte qu'ils soient garnis jusqu'à 2 cm du bord. Ajouter les crevettes, la chair de crabe, l'avocat et le concombre, et servir accompagné de sauce de soja, de wasabi et de gingembre en saumure.

# chirashi sushi de homard à la mayonnaise au wasabi

## ingrédients

**POUR 4 PERSONNES**

1 homard, cuit
5 cuil. à soupe de gingembre en saumure, un peu plus pour garnir
1 quantité de riz (*voir* page 8)
½ concombre, coupé en fines rondelles
1 avocat mûr, coupé en lamelles
2 cuil. à café de wasabi

### mayonnaise au wasabi

2 cuil. à soupe de mayonnaise japonaise
1 cuil. à café de wasabi

## méthode

**1** Retirer la chair du homard en morceaux aussi gros que possible. Si le homard est entier, retirer la tête en un mouvement circulaire et couper le corps en deux à l'aide d'un couteau tranchant ou d'un fendoir. Casser les pinces, couvrir d'un torchon et écraser à l'aide d'un rouleau à pâtisserie pour retirer la chair.

**2** Pour la mayonnaise wasabi, mélanger la mayonnaise et le wasabi. Hacher finement le gingembre et incorporer au riz.

**3** Répartir le riz dans 4 bols en bois ou en céramique de sorte qu'ils soient garnis jusqu'à 2 cm du bord. Déposer la chair de homard, le concombre et l'avocat sur le riz et ajouter un peu de mayonnaise au wasabi. Garnir de gingembre en saumure et d'un peu de wasabi.

# chirashi sushi de noix de Saint-Jacques

## ingrédients

**POUR 8 COQUILLES**

8 noix de Saint-Jacques dans leur coquille
1 cuil. à soupe d'huile
jus et zeste d'un demi-citron
⅓ de quantité de riz (*voir* page 8)
1 poignée de feuilles de coriandre fraîche
gingembre en saumure, wasabi et 3 cuil. à soupe de mayonnaise japonaise, en accompagnement

## méthode

**1** Retirer les noix de Saint-Jacques de leur coquille, nettoyer les coquilles et réserver.

**2** Nettoyer les noix de Saint-Jacques en retirant le muscle et la membrane. Conserver la laitance mais veiller à ôter la veine noire à l'aide d'une paire de ciseaux.

**3** Dans une poêle, chauffer l'huile, ajouter les noix de Saint-Jacques et faire revenir rapidement de chaque côté, jusqu'à ce qu'elles soient cuites et légèrement dorées. Arroser les noix de Saint-Jacques d'un peu de jus de citron et laisser refroidir.

**4** Mélanger le riz, le jus de citron restant et le zeste de citron.

**5** Répartir de petites boulettes de riz dans les coquilles et aplatir légèrement. Ajouter une noix de Saint-Jacques sur le riz dans chaque coquille avec quelques feuilles de coriandre. Garnir de gingembre en saumure, d'un peu de wasabi et de mayonnaise, et servir le tout sur un plateau avec des baguettes.

# chirashi sushi de bœuf laqué au soja

### ingrédients

**POUR 4 PERSONNES**

8 champignons shiitake déshydratés, mis à tremper 20 minutes
1 morceaux de daïkon de 5 cm, pelé
1 morceau de carotte de 5 cm, pelé
1 cuil. à soupe de sauce de soja
1 cuil. à café de mirin
1 cuil. à café de sucre roux
200 g de steak, dégraissé
1 quantité de riz (*voir* page 8)
2 cuil. à soupe de wasabi
1 feuille de nori grillée, coupée en lanières
gingembre en saumure, en accompagnement

### méthode

**1** Mettre les champignons et leur liquide de trempage dans une casserole, cuire 3 minutes et égoutter. Hacher la moitié des champignons et couper l'autre moitié en deux.

**2** Émincer le daïkon et la carotte à l'aide d'une mandoline. À défaut de mandoline, couper en longues lamelles très fines, et couper chaque lamelle en lanières les plus fines possible.

**3** Mélanger la sauce de soja, le mirin et le sucre roux, et enduire les steaks du mélange obtenu. Passer les steaks au gril préchauffé 3 minutes de chaque côté, laisser refroidir 1 minute et couper en fines tranches.

**4** Mélanger le riz et les champignons hachés, et transférer dans un plat ou répartir dans 4 bols en bois ou en céramique de sorte que les bols soient garnis jusqu'à 2 cm du bord. Ajouter la viande et les champignons coupés en deux, garnir de daïkon et de carotte, et parsemer de lanières de nori grillées. Napper de wasabi et servir accompagné de gingembre en saumure.

# chirashi sushi de poulet teriyaki

## ingrédients

**POUR 4 PERSONNES**

4 blancs de poulet de 150 g chacun
1 cuil. à soupe d'huile
1 quantité de riz (*voir* page 8)
oignon vert finement haché, partie verte seulement, et bâtonnets de concombre, en garniture
sauce au piment douce, en accompagnement

### marinade teriyaki

4 cuil. à soupe de sauce de soja japonaise
2 cuil. à soupe de mirin
2 cuil. à soupe de saké
2 cuil. à café de sucre
1 cuil. à café de gingembre ciselé (facultatif)
1 gousse d'ail, hachée (facultatif)

## méthode

**1** Mettre les ingrédients de la marinade dans une terrine, ajouter le poulet et bien mélanger. Couvrir, mettre au réfrigérateur et laisser mariner 30 minutes. Égoutter.

**2** Dans une poêle, chauffer l'huile, ajouter le poulet et cuire 4 minutes. Retourner, enduire de marinade et cuire 4 à 6 minutes, jusqu'à ce que le poulet soit cuit et qu'il rende un jus clair. Après avoir enduit de marinade, ne plus en ajouter en cours de cuisson.

**3** Transférer le poulet sur une planche à découper et couper en biais en lamelles, à l'aide d'un couteau tranchant saisi à 45°.

**4** Répartir le riz dans 4 bols, ajouter le poulet et garnir d'oignon vert et de bâtonnets de concombre. Servir accompagné de sauce au piment douce.

# chirashi sushi de tofu

## ingrédients

**POUR 4 PERSONNES**

1 bloc de tofu ferme
1 quantité de riz (*voir* page 8)
2 poivrons rouges, épépinés et coupés en quartiers
1 feuille de nori grillée
4 cuil. à soupe de gingembre en saumure
2 cuil. à café de wasabi
2 cuil. à soupe d'oignons verts ciselés, partie verte seulement, en garniture
gingembre en saumure et wasabi, en accompagnement

### marinade au sésame

¼ de cuil. à café d'huile de sésame
1 gousse d'ail, hachée
1 morceau de gingembre, pelé et ciselé
3 cuil. à soupe de sauce de soja japonaise
4 cuil. à soupe de saké
1 cuil. à café de sucre roux
1 cuil. à café de flocons de piment rouge

## méthode

**1** Envelopper le tofu dans du papier absorbant et mettre sur une planche à découper. Couvrir avec une autre planche à découper et laisser reposer 30 minutes de façon à exprimer l'excédent d'eau. Couper le tofu en lamelles de 8 mm d'épaisseur et transférer dans une terrine.

**2** Mettre les ingrédients de la marinade dans une terrine et mélanger jusqu'à ce que le sucre soit dissous. Verser sur le tofu, mélanger et laisser mariner au réfrigérateur 20 minutes.

**3** Passer les quartiers de poivron au gril jusqu'à ce que la peau noircisse, mettre dans un sac plastique et laisser refroidir. Retirer la peau et couper la chair en lanières.

**4** Couper la feuille de nori en carrés de 1 cm.

**5** Répartir le riz dans 4 bols, ajouter le tofu et arroser de marinade. Garnir de lanières de poivron, de carrés de nori, de gingembre en saumure et de wasabi. Parsemer d'oignons verts et servir accompagné de gingembre en saumure et de wasabi.

# chirashi sushi de tofu frit aux pleurotes

## ingrédients

**POUR 4 PERSONNES**

2 feuilles d'abura-agé (fines tranches de tofu frites)
500 ml de dashi (*voir* page 194 ou utiliser une préparation instantanée en granules)
4 cuil. à soupe de saké
2 cuil. à soupe de sucre
4 cuil. à soupe de sauce de soja japonaise
2 cuil. à soupe d'huile
500 g de pleurotes ou de shiitake, finement émincés
1 quantité de riz (*voir* page 8)
2 cuil. à café de graines de sésame blanches, grillées
sauce de soja japonaise, gingembre en saumure et wasabi, en accompagnement

## méthode

**1** Couper les feuilles d'abura-agé en fines lanières. Dans une casserole, mettre le dashi, le saké, le sucre et la sauce de soja, mélanger et ajouter les lanières d'abura-agé. Cuire 15 minutes à feu doux sans couvrir, jusqu'à ce que le liquide ait réduit de moitié, et égoutter.

**2** Dans une poêle, chauffer l'huile, ajouter les champignons et cuire 2 minutes à feu vif à feu moyen sans cesser de remuer, jusqu'à ce qu'ils soient tendres.

**3** Répartir le riz dans 4 bols, garnir d'abura-agé et de champignons, et parsemer de graines de sésame. Servir accompagné de sauce de soja, de gingembre en saumure et de wasabi.

# chirashi sushi de feta aux tomates séchées

## ingrédients

**POUR 4 PERSONNES**

175 g de feta
85 g de tomates séchées à l'huile
1 poignée de feuilles de basilic, ciselées plus des feuilles entières, en garniture
1 quantité de riz (*voir* page 8)
55 g de pousses d'épinard fraîches

## méthode

**1** Égoutter la feta et couper en dés. Couper les tomates séchées en lanières et ôter l'excédent d'huile avec du papier absorbant. Mélanger la feta, les tomates séchées et le basilic ciselé.

**2** Répartir le riz dans 4 bols, ajouter les pousses d'épinard et garnir du mélange à base de feta. Ajouter les feuilles de basilic et servir.

# chirashi sushi d'omelette aux champignons épicés

## ingrédients

**POUR 4 PERSONNES**

16 asperges fines
12 pois mange-tout
1 quantité de riz (*voir* page 8)
1 concombre, épépiné et coupé en bâtonnets de 5 cm
1 feuille de nori, coupée en fines lanières
4 cuil. à soupe de gingembre en saumure
2 cuil. à café de wasabi

### champignons épicés

25 g de shiitake déshydratés
175 ml de dashi (*voir* page 194 ou utiliser une préparation instantanée en granules)
1 cuil. à soupe de mirin

### omelette japonaise

3 œufs
½ cuil. à café de sucre
1 cuil. à café de mirin
½ cuil. à café de sauce de soja japonaise
⅛ de cuil. à café de sel
2 cuil. à café d'huile

## méthode

**1** Pour les champignons épicés, faire tremper les champignons 30 minutes dans de l'eau chaude, égoutter et couper en fines lamelles et jeter les tiges. Transférer dans une casserole, ajouter le dashi et cuire 15 minutes. Retirer du feu, incorporer le mirin et laisser refroidir. Égoutter.

**2** Pour l'omelette, battre les œufs avec le sucre, le mirin, la sauce de soja et le sel, en veillant à ne pas incorporer trop d'air. Filtrer.

**3** Dans une poêle, chauffer 1 cuillerée à café d'huile, verser la moitié du mélange précédent et cuire à feu moyen jusqu'à ce que l'omelette ait presque pris. Retourner et cuire l'autre face. Laisser refroidir l'omelette sur du papier sulfurisé et répéter l'opération. Couper les omelettes en fines lanières et réserver.

**4** Cuire les asperges et les pois mange-tout 1 à 2 minutes à l'eau bouillante et transférer immédiatement dans de l'eau glacée.

**5** Répartir le riz dans 4 bols, garnir de bâtonnets de concombre, de champignons épicés, de pois mange-tout et d'asperges, et parsemer de nori et d'omelette. Ajouter du gingembre en saumure et du wasabi, et servir.

# chirashi sushi végétarien

## ingrédients

**POUR 4 PERSONNES**

140 g de haricots verts très fins
140 g de tomates
1 poivron jaune
1 quantité de riz (*voir* page 8)
4 cuil. à café de graines de sésame blanches, grillées
sauce de soja japonaise, gingembre en saumure et wasabi, en accompagnement

## méthode

**1** Cuire les haricots verts 1 à 2 minutes à l'eau bouillante, transférer immédiatement dans de l'eau glacée de façon à stopper la cuisson et égoutter.

**2** Couper les tomates en rondelles et épépiner.

**3** Couper le poivron en quartiers, épépiner et couper en lanières.

**4** Répartir le riz dans 4 bols, ajouter les haricots verts, les rondelles de tomates, les lanières de poivron, et parsemer de graines de sésame. Servir accompagné de gingembre en saumure, de sauce de soja et de wasabi.

# accompagnements & desserts

La cuisine japonaise ne demande pas d'accompagnements ni de sauces compliqués. Avec vos sushis, vous ne présenterez qu'une sauce de soja, du gingembre en saumure et du wasabi. Mais un ou deux plats contribueront à structurer davantage votre repas. Les Japonais consomment souvent un bouillon léger au début d'un repas de sushis, et le terminent par une soupe miso. Vous pouvez faire de même ou servir simplement une soupe, une salade verte ou quelques pousses de soja blanchies, avec les sushis.

Si vous avez le temps, présentez un ou deux plats épicés pour compléter le repas. La tempura de la mer et la tempura de légumes & de tofu sont populaires au Japon et dans le monde entier, tout comme les petits en-cas appelés « gyoza », qui sont des boulettes à base de porc. Vous trouverez des marinades diverses dans les magasins spécialisés, mais il est gratifiant de les préparer soi-même. Le gingembre en saumure, par exemple, a beaucoup de goût et se conserve plusieurs semaines au réfrigérateur.

Pour terminer votre repas, pensez à un plateau de fruits frais. Si vous préférez être plus aventureux, optez pour la crème glacée au thé vert. Le thé vert ou le saké accompagnent traditionnellement les sushis, mais une bière fraîche ou du vin blanc s'harmonisent également avec cette cuisine.

# dashi au tofu & à la ciboulette

## ingrédients

**POUR 4 PERSONNES**

1 litre d'eau
1 morceau de kombu carré de 7,5 cm
15 g de flocons de bonite
1 cuil. à soupe de saké
1 cuil. à soupe de sauce de soja japonaise
sel
85 g de tofu ferme, coupé en cubes
1 poignée de brins de ciboulette, coupés en tronçons de 2,5 cm

## méthode

**1** Verser l'eau dans une casserole. Pratiquer quelques incisions dans le morceau de kombu, ajouter dans l'eau et porter à ébullition. Retirer le kombu de l'eau.

**2** Ajouter les flocons de bonite dans la casserole et retirer immédiatement la casserole du feu. Chemiser une passoire de mousseline, filtrer le bouillon et incorporer le saké, la sauce de soja et le sel.

**3** Répartir le tofu et la ciboulette dans 4 bols, verser le bouillon et servir immédiatement.

# dashi au vivaneau

## ingrédients

**POUR 4 PERSONNES**

150 g de filets de vivaneau
1 quantité de dashi
(*voir* page 194)
1 poignée de brins de ciboulette, coupés en tronçons de 2,5 cm

## méthode

**1** Couper le poisson en morceaux de tailles équivalentes.

**2** Verser le dashi dans une casserole, réchauffer et ajouter le poisson. Porter à ébullition et retirer immédiatement du feu. Laisser refroidir le poisson dans le dashi.

**3** Transférer les morceaux de poisson dans des bols à l'aide d'une écumoire, verser le dashi et garnir de tronçons de ciboulette.

# soupe miso

## ingrédients

**POUR 4 PERSONNES**

1 quantité de dashi (*voir* page 194)

175 g de tofu mou, coupé en dés de 1 cm

4 champignons shiitake ou champignons de Paris, émincés

4 cuil. à soupe de pâte de miso

2 oignons verts, coupés en fines rondelles

2 cuil. à café de graines de sésame blanches, grillées

## méthode

**1** Verser le dashi dans une casserole, chauffer et ajouter le tofu et les champignons. Réduire le feu et cuire 3 minutes. Ajouter le miso et laisser mijoter à feu doux, jusqu'à ce qu'il soit dissous.

**2** Retirer du feu, ajouter les oignons verts et répartir dans 4 bols. Parsemer de graines de sésame et servir immédiatement.

# tempura de légumes & de tofu

## ingrédients

**POUR 4 PERSONNES**

150 g de préparation pour tempura instantanée
1 pomme de terre, pelée et coupée en dés de 1 cm
¼ de courge d'hiver, pelée et coupée en dés de 1 cm
1 petite patate douce, pelée et coupée en dés de 1 cm
1 petite aubergine, coupée en dés de 1 cm
6 haricots verts, éboutés
1 poivron rouge, épépiné et coupé en lanières épaisses
6 champignons shiitake ou de Paris, tiges retirées
1 petite tête de brocoli, séparée en fleurettes
350 g de tofu ferme, coupé en cubes
huile, pour la friture
sauce au piment douce ou sauce pour tempura (*voir* page 204), en accompagnement

## méthode

**1** Délayer la préparation pour tempura dans de l'eau en suivant les instructions figurant sur le paquet. La pâte doit être grumeleuse et contenir de grosses bulles d'air.

**2** Plonger les légumes et le tofu dans la pâte et bien mélanger le tout.

**3** Dans un wok, chauffer de l'huile à 180 °C de sorte qu'un dé de pain y brunisse en 30 secondes.

**4** Plonger quelques morceaux de légumes et de tofu dans l'huile et faire frire 2 à 3 minutes, jusqu'à ce que la pâte soit dorée. Égoutter sur du papier absorbant et répéter l'opération avec les légumes et le tofu restants.

**5** Servir chaud, accompagné de sauce au piment douce ou de sauce pour tempura.

# tempura de la mer

## ingrédients

**POUR 4 PERSONNES**

8 grosses crevettes crues, décortiquées et déveinées
4 noix de Saint-Jacques, parées
8 encornets, parés
200 g de poisson à chair blanche et ferme, coupé en fines lanières
150 g de préparation pour tempura instantanée
huile, pour la friture
sauce de soja japonaise ou sauce pour tempura (*voir* page 204), en accompagnement

## méthode

**1** Pratiquer de petites incisions dans les crevettes de sorte qu'elles ne se recourbent pas trop à la cuisson.

**2** Délayer la préparation pour tempura dans de l'eau en suivant les instructions figurant sur le paquet. La pâte doit être grumeleuse et contenir de grosses bulles d'air.

**3** Ajouter les fruits de mer à la pâte et bien mélanger.

**4** Dans un wok, chauffer de l'huile à 180 °C de sorte qu'un dé de pain y brunisse en 30 secondes.

**5** Plonger quelques fruits de mer dans l'huile et faire frire 2 à 3 minutes, jusqu'à ce que la pâte soit dorée. Égoutter sur du papier absorbant et répéter l'opération avec les fruits de mer restants.

**6** Servir très chaud accompagné de sauce de soja japonaise ou de sauce pour tempura.

# sauce pour tempura

## ingrédients

**POUR 4 PERSONNES**

4 cuil. à soupe de dashi (*voir* page 194 ou utiliser une préparation instantanée en granules)
4 cuil. à café de mirin
2 cuil. à soupe de sauce de soja japonaise

## méthode

**1** Mettre le dashi dans un bol. En cas d'utilisation de granules, délayer dans 4 cuillerées à soupe d'eau bouillante.

**2** Ajouter le mirin et la sauce de soja, bien mélanger et servir en accompagnement de tempura de fruits de mer ou de légumes.

# gyoza

## ingrédients

**POUR 24 SUSHIS**

24 feuilles de pâte à wontons pour gyoza
huile, pour la friture

### farce au porc

100 g de chou blanc, finement ciselé
2 oignons verts, finement hachés
175 g de porc haché
1 morceau de gingembre frais de 1 cm, finement ciselé
2 gousses d'ail, hachées
1 cuil. à soupe de sauce de soja japonaise
2 cuil. à café de mirin
1 pincée de poivre blanc
sel

### sauce au soja

2 cuil. à soupe de vinaigre de riz
2 cuil. à soupe de sauce de soja japonaise
un peu d'eau

## méthode

**1** Pour la farce, mettre tous les ingrédients dans un terrine et saler.

**2** Étaler une feuille de pâte à wontons dans la paume d'une main et, de l'autre, ajouter 1 cuillerée à café de farce au centre. Humecter les bords, superposer les bords et roulotter en humectant de nouveau si nécessaire. Répéter l'opération de façon à obtenir 24 pièces au total.

**3** Dans une poêle, chauffer un peu d'huile, ajouter autant de gyoza que possible en une seule couche et cuire 2 minutes, jusqu'à ce leur face inférieure soit dorée.

**4** Verser 3 mm d'eau dans la poêle, couvrir et laisser mijoter 6 minutes à feu doux, jusqu'à ce que les gyoza soient translucides. Retirer le couvercle, augmenter le feu et cuire jusqu'à ce que l'eau s'évapore. Retirer de la poêle et réserver au chaud. Répéter l'opération avec les gyoza restants.

**5** Mettre tous les ingrédients de la sauce dans un bol, bien mélanger et servir avec les gyoza.

# poulet yakitori

## ingrédients

**POUR 6 BROCHETTES**

4 pilons, sans la peau et désossés, ou 2 blancs de poulet, 400 g au total, coupé en 24 morceaux
4 oignons verts, coupés en 18 tronçons

### marinade yakitori

6 cuil. à soupe de sauce de soja japonaise
6 cuil. à soupe de mirin
4 cuil. à soupe de saké
2 cuil. à soupe de sucre

## méthode

**1** Faire tremper 6 petites brochettes en bois 20 minutes dans de l'eau froide, de sorte qu'elles ne brûlent pas à la cuisson.

**2** Pour la marinade, mettre la sauce de soja, le mirin, le saké et le sucre dans une petite casserole et porter à ébullition. Réduire le feu et laisser mijoter 1 minute. Retirer du feu et laisser refroidir. Réserver un peu de sauce pour servir.

**3** Piquer 4 morceaux de poulet et 3 tronçons d'oignons verts sur chaque brochette, enduire de marinade et passer au gril préchauffé 4 minutes. Retourner, enduire de nouveau de marinade et cuire encore 4 minutes, jusqu'à ce que le poulet soit bien cuit.

**4** Servir les brochettes arrosées de la sauce réservée.

# tofu assaisonné

## ingrédients

**POUR 2 PERSONNES**

300 g de tofu soyeux, égoutté
4 cuil. à soupe d'huile
2 oignons verts, finement hachés
½ piment rouge frais, finement émincé
1 cuil. à soupe de sauce de soja japonaise
1 cuil. à café d'huile de sésame

## méthode

**1** Mettre le tofu sur une assiette résistant à la chaleur. Couper le bloc en cubes sans désolidariser les morceaux.

**2** Dans une petite poêle, chauffer l'huile à feu vif jusqu'à ce qu'elle soit presque fumante, ajouter les oignons verts et le piment, et chauffer jusqu'à ce qu'ils soient grésillants.

**3** Verser la préparation chaude sur le tofu, arroser d'huile de sésame et de sauce de soja, et servir sans désolidariser les morceaux.

# haricots de soja

## ingrédients

**POUR 4 PERSONNES**

500 g de haricots de soja surgelés, dans leur gousse
gros sel

## méthode

**1** Porter à ébullition une casserole d'eau salée, ajouter les haricots de soja et cuire 3 minutes, jusqu'à ce qu'ils soient tendres.

**2** Bien égoutter, saupoudrer de gros sel et bien mélanger. Servir chaud ou froid.

# salade d'algues séchées

## ingrédients

**POUR 4 PERSONNES**

20 g d'assortiment d'algues séchées, wakamé, hijiki, et aramé, par exemple
1 concombre
2 oignons verts, émincés
cresson, ciselé

### sauce au sésame

2 cuil. à soupe de vinaigre de riz
2 cuil. à café de sauce de soja japonaise
1 cuil. à soupe de mirin
2 cuil. à café d'huile de sésame
1 cuil. à café de miso blanc

## méthode

**1** Faire tremper les algues séchées séparément dans de l'eau froide - le wakamé et l'aramé doivent tremper 10 minutes et l'hijiki doit tremper 30 minutes. Égoutter.

**2** Cuire le wakamé seulement 2 minutes à l'eau bouillante, égoutter et laisser refroidir. Mettre toutes les algues dans un saladier.

**3** Couper le concombre en deux dans la longueur et réserver une des moitiés pour une utilisation ultérieure. Épépiner la moitié restante et émincer finement la chair. Ajouter dans le saladier et incorporer les oignons verts et le cresson.

**4** Mettre tous les ingrédients de la sauce dans une terrine, bien mélanger et arroser la salade. Mélanger délicatement et servir immédiatement.

# salade de concombre au daïkon

## ingrédients

**POUR 4 PERSONNES**

1 morceau de daïkon de 20 cm de long
1 concombre
1 poignée de pousses d'épinard fraîches
3 radis rouges, coupés en fines rondelles
quelques feuilles de chou chinois, ciselées
1 cuil. à soupe de graines de tournesol
2 cuil. à café de graines de sésame blanches, grillées

### sauce au wasabi

4 cuil. à soupe de vinaigre de riz
2 cuil. à soupe d'huile de pépins de raisin
1 cuil. à café de sauce de soja claire
1 cuil. à café de pâte de wasabi
½ cuil. à café de sucre
sel, selon son goût

## méthode

**1** Ciseler finement le daïkon à l'aide d'une mandoline. À défaut de mandoline, couper le daïkon en longs et fins rubans à l'aide d'un couteau tranchant et détailler chaque rubans en fines lanières. Rincer à l'eau froide et bien égoutter.

**2** Couper le concombre en deux dans la longueur et réserver une des moitiés pour une utilisation ultérieure. Épépiner la moitié restante à l'aide d'une petite cuillère, peler et émincer de la même manière que le daïkon.

**3** Mettre le daïkon et le concombre dans un saladier, et ajouter les pousses d'épinard, les radis et le chou chinois.

**4** Mettre les ingrédients de la sauce dans une petite terrine, bien mélanger et napper la salade. Mélanger délicatement et parsemer de graines de tournesol et de graines de sésame grillées.

# haricots verts & leur sauce au sésame

## ingrédients

**POUR 4 PERSONNES**

200 g de haricots verts
1 pincée de sel
1 cuil. à soupe de pâte de sésame
1 cuil. à café de sucre
1 cuil. à café de pâte miso
2 cuil. à café de sauce de soja japonaise

## méthode

**1** Cuire les haricots verts 4 à 5 minutes à l'eau bouillante, jusqu'à ce qu'ils soient tendres. Retirer du feu et égoutter.

**2** Mettre les ingrédients restants dans une terrine, mélanger jusqu'à obtention d'une pâte et incorporer les haricots verts. Laisser refroidir et servir.

# gingembre en saumure

## ingrédients

**POUR 115 GRAMMES**

100 g de gingembre frais
1 cuil. à café de sel
125 ml de vinaigre de riz
2 cuil. à soupe de sucre
4 cuil. à soupe d'eau

## méthode

**1** Peler le gingembre. À l'aide d'une mandoline ou d'un économe, détailler en copeaux, en procédant dans le sens de la fibre. Saupoudrer de sel, couvrir et laisser reposer 30 minutes.

**2** Blanchir 30 secondes à l'eau bouillante et bien égoutter.

**3** Mettre le vinaigre de riz, le sucre et l'eau dans une terrine et mélanger jusqu'à ce que le sucre soit dissous.

**4** Ajouter les copeaux de gingembre dans la terrine, bien mélanger et couvrir. Laisser mariner 24 heures au réfrigérateur (le gingembre prendra une coloration rosée). Le gingembre en saumure se conserve plusieurs semaines au réfrigérateur, dans un récipient hermétique.

# daïkon & carotte en saumure

## ingrédients

**POUR 4 PERSONNES**

1 morceau de daïkon de 10 cm, pelé
1 carotte, pelée
½ cuil. à café de sel
1 cuil. à soupe de sucre
2 cuil. à soupe de vinaigre de riz
1 cuil. à café de graines de sésame blanches, grillées

## méthode

**1** À l'aide d'une mandoline ou d'un économe, couper le daïkon et la carotte en fins rubans. Saupoudrer de sel, couvrir et laisser reposer 30 minutes. Transférer dans une terrine et presser délicatement de façon à exprimer l'excédent d'eau.

**2** Mettre le sucre et le vinaigre dans une terrine, et mélanger jusqu'à ce que le sucre soit dissous.

**3** Ajouter le daïkon et la carotte, bien mélanger et mettre au réfrigérateur 8 heures ou toute une nuit. Servir parsemé de graines de sésame.

# concombre en saumure

## ingrédients

**POUR 4 PERSONNES**

½ concombre

1⅛ de cuil. à café de sel

1 cuil. à soupe de vinaigre de riz

1 cuil. à café de sucre

## méthode

**1** Couper le concombre en fines rondelles, mettre dans une terrine peu profonde et saupoudrer d'une cuillerée à café de sel. Laisser reposer 5 minutes.

**2** Rincer les rondelles de concombre à l'eau courante et bien égoutter.

**3** Dans une terrine, mettre le sel restant, le vinaigre de riz et le sucre, ajouter le concombre et mélanger. Mettre au réfrigérateur 8 heures ou une nuit.

# sauce au gingembre & au sésame

## ingrédients

**POUR 125 MILLILITRES**

1 morceau de gingembre frais de 4 cm
4 cuil. à soupe de sauce de soja japonaise
2 cuil. à soupe de mirin
2 cuil. à soupe de saké
¼ de cuil. à café d'huile de sésame
1 cuil. à café de vinaigre de riz

## méthode

**1** Ciseler finement le gingembre, mettre dans une terrine et presser avec le dos d'une cuillère. Prélever 1 cuillerée à café de jus et jeter la chair.

**2** Mettre le jus de gingembre dans une terrine, ajouter la sauce de soja, le mirin, le saké, l'huile de sésame et le vinaigre de riz, et bien mélanger le tout. Servir directement ou conserver une semaine au réfrigérateur dans un récipient hermétique.

# sauce ponzu

## ingrédients

**POUR 125 MILLILITRES**

2 cuil. à soupe de mirin

1½ cuil. à soupe de vinaigre de riz

2 cuil. à café de sauce de soja claire

1½ cuil. à soupe de flocons de bonite

3 cuil. à soupe de jus de citron frais

## méthode

**1** Mettre tous les ingrédients dans une petite casserole, retirer du feu et laisser refroidir. Servir en accompagnement.

# sauce teriyaki

## ingrédients

**POUR 125 MILLILITRES**

4 cuil. à soupe de sauce de soja japonaise
2 cuil. à soupe de mirin
2 cuil. à soupe de saké
2 cuil. à café de sucre
1 cuil. à café de gingembre ciselé (facultatif)
1 gousse d'ail, hachée (facultatif)

## méthode

**1** Dans une casserole, mettre la sauce de soja, le mirin, le saké, le sucre et, éventuellement, l'ail et le gingembre.

**2** Chauffer à feu doux sans cesser de remuer jusqu'à ce que le sucre soit dissous, cuire 15 minutes, jusqu'à ce que la sauce ait épaissi, et laisser refroidir.

# oranges japonaises

## ingrédients

**POUR 4 PERSONNES**

4 grosses oranges
1½ cuil. à soupe de sucre
250 ml de vin de prune japonais

## méthode

**1** En procédant au-dessus d'une jatte pour recueillir le jus et à l'aide d'un petit couteau cranté, retirer la peau des oranges et séparer en quartiers. Mettre les quartiers dans la jatte et presser les membranes de façon à recueillir le plus de jus possible.

**2** Mélanger le sucre et le vin jusqu'à ce que le sucre soit dissous, arroser les oranges du mélange et mettre 30 minutes au réfrigérateur.

# crème glacée au thé vert

## ingrédients

**POUR 4 PERSONNES**

200 ml de lait
2 jaunes d'œufs
2 cuil. à soupe de sucre
2 cuil. à soupe de poudre de thé vert matcha
100 ml d'eau chaude
200 ml de crème fraîche, légèrement fouettée

## méthode

**1** Verser le lait dans une casserole et porter au point de frémissement. Dans une jatte résistant à la chaleur, mettre les jaunes d'œufs et le sucre, et bien battre.

**2** Verser progressivement le lait dans la jatte sans cesser de remuer, reverser le tout dans la casserole et bien mélanger.

**3** Cuire 3 minutes à feu doux sans cesser de remuer, jusqu'à ce que la préparation nappe la cuillère. Retirer du feu et laisser refroidir.

**4** Délayer la poudre de thé vert dans l'eau chaude, verser dans la crème froide et ajouter la crème fouettée.

**5** Transférer le tout dans une sorbetière et procéder selon les instructions du fabriquant. À défaut, transférer dans une jatte adaptée à la congélation et mettre au congélateur 2 heures. Transférer dans une autre jatte et battre de façon à supprimer tous les cristaux. Remettre dans la première jatte et mettre au congélateur encore 2 heures. Répéter l'opération une fois et laisser au congélateur une nuit, jusqu'à ce que la crème glacée ait bien pris.

# petits pavés de mangue

## ingrédients

**POUR 4 PERSONNES**

625 ml de jus de mangue
1½ cuil. à soupe de poudre d'agar-agar
125 ml d'eau chaude
huile d'arachide, pour graisser (facultatif)

## méthode

**1** Mettre le jus de mangue dans une jatte résistant à la chaleur.

**2** Dans une casserole, mettre la poudre d'agar-agar et l'eau, porter à ébullition et laisser mijoter 2 à 3 minutes à feu doux. Incorporer au jus de mangue et bien mélanger.

**3** Huiler ou chemiser de papier sulfurisé un moule rectangulaire, répartir la préparation et couvrir de film alimentaire. Mettre au réfrigérateur 4 heures, jusqu'à ce que la préparation ait pris. Couper en pavés ou en losanges.

# sorbet de litchis

## ingrédients

**POUR 4 PERSONNES**

400 g de litchis en boîte, ou 450 g de litchis frais, pelés et dénoyautés

2 cuil. à soupe de sucre glace

1 blanc d'œuf

1 citron, coupé en fines rondelles, en garniture

## méthode

**1** Mettre les litchis dans un robot de cuisine, ajouter le sucre et réduire en purée.

**2** Presser la purée obtenue dans une passoire, transférer dans une jatte adaptée à la congélation et mettre au congélateur 3 heures.

**3** Transférer la préparation dans un robot de cuisine, mixer jusqu'à obtention d'une consistance homogène et, moteur en marche, ajouter le blanc d'œuf. Remettre la préparation dans la jatte et mettre au congélateur 8 heures à une nuit. Servir garni de rondelles de citron.